Vl-46

CICERO

IM WANDEL DER JAHRHUNDERTE.

EIN VORTRAG

VON

TH. ZIELINSKI,

PROFESSOR AN DER UNIVERSITÄT ST. PETERSBURG.

LEIPZIG,

DRUCK UND VERLAG VON B. G. TEUBNER.

1897.

Printed in Germany

VORBEMERKUNG.

Daſs sich die vorliegende Untersuchung — denn eine solche ist es — in der Form eines Vortrags darstellt, hat zunächst einen äuſseren Grund: sie ist thatsächlich aus einem Vortrag erwachsen, den ich i. J. 1895, in der Januarsitzung der historischen Gesellschaft an der hiesigen Universität gehalten habe, um den zweitausendsten Geburtstag Ciceros zu feiern; ich wuſste im voraus, daſs in unsrer jubiläumsfreudigen Zeit dieses Gedenktages kein Mensch gedenken würde. Mein Vortrag ist später (Febr. 1896), teilweise verändert und mit Einbuſse dieser seiner Form, in unsrer Zeitschrift 'Wiestnik Jewropy' gedruckt worden. In der neuen, vielfach erweiterten und verbesserten deutschen Bearbeitung bin ich zu der ursprünglichen Form zurückgekehrt. Sie schien mir mit dem Stoffe selbst zu sehr verwachsen zu sein: auſserdem bot sie den Vorteil einer freieren Auswahl des Materials, bei der alles Nebensächliche fortbleiben durfte. Dieser Vorteil schlieſst zwei weitere in sich: einerseits konnte die Schrift um so kürzer werden, andrerseits durften die groſsen kulturhistorischen Gesichtspunkte im Vordergrunde erscheinen.

So glaube ich hoffen zu dürfen, daſs mein Versuch dem Philologen, der über den engen Horizont seines Spezialgebietes, sowie dem gebildeten Leser überhaupt, der über den noch engeren Horizont des Alltagslebens hinaus einen Blick in die Werkstätte der geistigen Kultur zu werfen bereit ist, nicht unwillkommen sein wird.

In der Beurteilung der einschlägigen weltgeschichtlichen Fragen habe ich vor allem gerecht zu sein gewünscht und darf daher hoffen, es keiner Partei recht gemacht zu haben — ganz, wie der Mann, dem diese Blätter geweiht sind.

Daſs ich keine Vorarbeiten hatte, weiſs jeder Kundige; die ganze Schrift ist aus den Quellen heraus gearbeitet. Doch versteht es sich von selbst, daſs ich mich auf weniger bekannten Gebieten der Führung zuverlässiger und ortskundiger Männer anvertraut habe, um mir den Zugang zu den Quellen zu bahnen. Über meine Arbeitsweise geben die 'Anmerkungen' Auskunft. Nichts lag mir dabei ferner, als jene so wohlfeile Schaustellung von Erudition, die dem Laien freilich gar sehr zu imponieren pflegt; wo mir daher eine gelehrte Notiz nicht unmittelbar aus der Urquelle zugeflossen ist, habe ich regelmäſsig neben dieser auch den Mittelmann genannt. Mit einer Ausnahme übrigens: die Beiträge meines Freundes O. Crusius, der mir auch bei diesem Werke mit aufopfernder Treue seinen Beistand geliehen hat, habe ich, wie es Freundesrecht ist, mit stillem Dank aufgenommen.

Die 'Exkurse' sind was ihr Name sagt: Ausflüge in die Seitenthäler, wie sie der genieſsende Wanderer von der Hauptroute aus gern unternimmt, der eilige unterläſst. Auch sie seien dem Leser, was er auch sei, empfohlen; es ist dafür gesorgt, daſs das Notizengestrüpp ihn bei der Wanderung nicht störe.

St. Petersburg, Neujahr 1897.

Th. Zielinski.

Unter den Einzelarbeiten untersuchender und darstellender Art, welche die Königin der historischen Wissenschaften in unseren Tagen veranlaſst hat, hebt sich eine besondre durch ein gemeinsames Merkmal gekennzeichnete Gruppe heraus: sie will, anstatt irgend eine von den unzähligen kulturhistorischen Schichtungen aufzudecken, vielmehr einen vertikalen Durchschnitt durch deren Gesamtheit bloslegen. Keine andere Betrachtungsweise ist in gleichem Masse geeignet, uns die Eigenart der verschiedenen Jahrhunderte zur Anschauung zu bringen; und die Einseitigkeit, die jedem Versuch in der angedeuteten Richtung naturgemäſs anhaftet — weil sich der Durchschnitt eben nicht an allen Punkten zugleich vornehmen läſst —, wird dadurch unschädlich gemacht, daſs ja kein einziger die Aufmerksamkeit des Lesers für sich allein beansprucht. Zu solchen Versuchen will auch der gegenwärtige gezählt sein; eigentümlich ist ihm nur das zu untersuchende Kulturelement. Während es nämlich sonst eine Form oder ein Werkzeug des sozialen oder individuellen Lebens zu sein pflegt, haben wir es hier mit einer Persönlichkeit zu thun.

Allerdings ist unser Held eine jener im eminenten Sinne des Wortes kulturellen Persönlichkeiten, deren eigentliche Biographie erst mit dem Todestage beginnt; eine von denen, die nicht nur selber den Geist ihres Zeitalters widerspiegelten, nicht nur der Kultur der Folgezeit einen augenblicklichen Impuls gaben, sondern sie auch in steter, bald mehr bald weniger wahrnehmbarer Berührung auf ihren weitern Entwicklungswegen begleiteten. Solcher kulturellen Persönlichkeiten hat die Weltgeschichte nicht allzuviele aufzuweisen; dass von ihnen ein unverhältnismäſsig groſser Teil auf die Antike entfällt, liegt in der Natur der Sache begründet; unter den antiken ist wiederum Cicero eine der ausgeprägtesten. Dazu kommt noch eins: vor kurzem (am

3. Januar 1895) ist der zweitausendste Jahrestag seiner
Geburt ins Land gegangen. Es verlohnt sich wohl, die
Frage aufzuwerfen, was er im Laufe dieser zwanzig Jahr-
hunderte unsrer Kultur gewesen ist.

Diese unsre Kultur ist ihrem Grundwesen nach in
dreifacher Hinsicht von den Kulturen uns stammfremder
Völker verschieden. Erstens in religiös-ethischer, insofern sie von der breiten Grundlage christlich gesinnter
Volksmassen getragen wird; christlich gesinnt sein heifst
aber sich zu einem Glauben bekennen, der einerseits jedem
Menschenleben, wie verächtlich und ärmlich auch seine
äufsere Erscheinungsform sein mag, einen ewigen und un-
vergänglichen Wert beimifst, andererseits aber seine Be-
kenner nicht zu thatenloser Ruhe und jenseitssüchtigem
Quietismus leitet, sondern zu nützlicher kultureller Arbeit,
getreu seinem Wahlspruche *ora et labora*. Zweitens, in
intellektueller Hinsicht, insofern sie der Persönlichkeit
das Recht zugesteht selbständig die ihr eingeborenen Keime
geistiger Gesittung zu entwickeln und durch individuelle
Verarbeitung des allgemeinen Kulturbesitzes den Fortschritt
des menschlichen Gedankens zu fördern. Endlich drittens
in politischer Hinsicht, insofern sie, bis auf weiteres
wenigstens, von jenem politischen Ideal beherrscht wird,
demzufolge jeder innerhalb der ihm vom Gesetze aufge-
richteten Schranken in vollem Mafse seiner persönlichen
Freiheit geniefst, und die Gleichheit aller vor dem Gesetz ein unumstöfsliches Axiom bildet. Wie bekannt, sind
diese drei Gaben der modernen Menschheit — ich meine
diejenige, die durch das Ausleben des Altertums zu politischem Leben berufen wurde — nicht von vornherein
eigen gewesen und auch nicht gleichzeitig zuteil geworden;
sie wurden in drei aufeinanderfolgenden Eruptionsperioden
errungen, deren jede die Gesittung der voraufgehenden
Zeit unter den Trümmern der gesprengten Schichtungen
zu begraben drohte und sie doch neuverjüngt auf eine
höhere Stufe der Vollendung führte. Es sind dieselben
drei Eruptionsperioden, welche eben deswegen als die drei
Grenzmarken der neueren Geschichte anerkannt sind: die
Zeit der Ausbreitung des Christentums, die Renaissance und die Aufklärung mit der Revolution. Damit

ist uns unser Weg vorgezeichnet: wir werden die Bedeutung Ciceros richtig zu würdigen im Stande sein, wenn wir seinen Einfluſs auf jede von den dreien feststellen.

Vor diesem ungeheueren Nachleben schrumpft die irdische Laufbahn unsres Helden gar sehr zusammen; aber sie war doch die Voraussetzung jenes ideellen Lebens. Deshalb dürfen und müssen wir feststellen, was Cicero in seinen Erdentagen war, ehe wir seine Spur durch die Aeonen verfolgen. Der Name Cicero ist in aller Munde; und so klein das Häuflein derer ist, die ihn aus eigner Anschauung kennen, so zahlreich sind jene, die ihn zu kennen vermeinen; dieses vermeintliche Wissen aber ist weit ärger, als völlige Unwissenheit. Lassen wir daher sein Leben an uns vorübergleiten — in wenigen grossen Zügen, wie sich, von luftiger Wolkenhöhe betrachtet, die fliehende Landschaft dem Auge darstellen mag.

I.

Sein Leben fiel mit jener entscheidenden Periode der römischen Geschichte zusammen, wo die Keime der Zersetzung, die eine Reihe voraufgehender Fehlkuren dem republikanischen Staatswesen eingeimpft hatte, sich mit staunenswerter Schnelligkeit ausbreiteten, bis sie nach wiederholten Paroxysmen endlich die Krisis herbeiführten, in der die römische Verfassung zu Grunde ging. Aufgewachsen in den Grundsätzen des Scipionenkreises, die sich durch eine ununterbrochene Tradition bis auf seine Zeit fortgeerbt hatten, liebte er über alles in der Welt eben sie, jene todgeweihte römische Verfassung; er liebte an ihr, was auch die Scipionen an ihr geliebt hatten: die harmonische Kombination monarchischer, aristrokratischer und demokratischer Elemente, durchdrungen vom Geiste hellenischer Gesittung, jeden Fortschritts fähig, soweit dieser zur Aufnahme und Entwicklung fördernder, nicht zerstörender Ideen führte. Wir wollen mit ihm über die Wirklichkeit dieses Idealbildes nicht rechten; soviel verstand sich von selbst, daſs er in seinem Dienste vereinsamt bleiben muſste, wie es ja auch die Scipionen gewesen waren. Mochte durch Cinna die Revolution, mochte durch Sulla die Reaktion siegen: für ihn waren es zwei Niederlagen, in denen

seine besten Freunde fielen; nach der zweiten hatte der
junge Cicero keine Beschützer und Gönner mehr. Und
doch konnte er sich nicht entschliefsen, seinem Ideal untreu
zu werden. Während die Grofsen seiner Zeit um die
Gunst des Siegers buhlten, wagte er es, ihm mit der einzigen Waffe, die ihm geblieben war, mit der Kraft seiner
Rede, Trotz zu bieten, indem er sich der Opfer des ungeheueren Unrechts annahm. Bescheiden fing er an; zuerst
galt sein Schutz den vielen Existenzen, die mittelbar oder
unmittelbar in ihrer civilrechtlichen Stellung durch die sullanische Umwälzung geschädigt worden waren; sodann den
Opfern, die den neuen Strafgerichten zugeführt werden
sollten. Der Erfolg machte ihn kühn; so beschlofs er endlich, für diejenigen zu kämpfen, die von der neuen Gewalt-
herrschaft am schwersten getroffen worden waren, für die
unterworfenen Völker. Auch hierin am scipionischen Reichsideal hängend, wonach sich die römische Herrschaft mehr
als eine Art friedlichen und gerechten Protektorates über
die geeinigten, aber freien Nationen der Erde darstellte,
hatte er den Mut, die sullanische Entstellung dieses Reichs-
ideals — das statthalterische Regiment in den Provinzen zu
seiner Zeit — vor die Schranken eines öffentlichen und darum gerechten Tribunals zu fordern und für alle Zeiten mit
einem jener niederschmetternden Ausdrücke, wie sie ihm
zu Gebote standen, zu brandmarken — mit dem Ausdrucke
lex injuriae.

Das war die erste Periode der staatsmännischen Wirksamkeit Ciceros — die Periode des Kampfes gegen das
triumphierende Unrecht, welches das Gleichgewicht der
römischen Verfassung zum Schaden des demokratischen
Elementes verletzt hatte. Nach und nach wurde das ver-
letzte Gleichgewicht wiederhergestellt; da begann die zweite,
die erhaltende Periode seines Lebens — zum grofsen
Ärgernis für alle überzeugungstüchtigen Standpünktler aus
alter und neuer Zeit, welche die Opposition als eine Art
Selbstzweck auffassen und nicht begreifen können oder
wollen, dafs ein Mann, der für eine Idee kämpft, eben mit
der Verwirklichung dieser Idee den Kampf aufgibt. Die
Idee nun der scipionischen Verfassung war durchaus ver-
einbar mit dem überwiegenden Einflusse einer charakter-

starken und durch ihre Verdienste glänzenden, dabei aber
streng republikanisch gesinnten Persönlichkeit; solche Persönlichkeiten waren vor Zeiten die Scipionen selber gewesen, der Ahn und der Enkel; später Catulus, der Sieger
über die nordischen Barbaren. Jetzt war der Sitz leer;
Cicero hatte ihn dem Manne zugedacht, in dem er aus vielen
Gründen den direkten Erben der Scipionen sehen mußte
und nachweislich gesehn hat — Pompejus; er selbst wollte
ihm sein, was einst Laelius dem jüngeren Scipio gewesen
war, Freund, Berater uud Beistand; damit wäre der alte,
echtrömische Bund von äußerer und innerer Kraft, von
Schwert und Wort, erneuert worden. So wirkte er in wahrhaft republikanischem Geiste zu Gunsten des Pompejus; er
half ihm den Oberbefehl verschaffen für den notwendigen
und ruhmvollen mithridatischen Krieg und wachte sorgsam
während seiner Abwesenheit über dem wiederhergestellten
Gleichgewicht der römischen Verfassung. Sein Konsulat fiel
in die Zeit eines zwiefachen, höchst gefährlichen Ansturms
gegen diese Verfassung, der von zwei der fähigsten Männer
des damaligen Roms gleichzeitig unternommen wurde, von
Caesar, dem Haupte der Demokratie, und Catilina, dem
Haupte der Anarchie. Jenen, der nur konstitutionelle Mittel
anwandte, hat er in offenem, ehrlichem Kampfe mehr als
einmal besiegt; diesen, der die Verfassung Roms unter den
Trümmern der Stadt begraben wollte und zu diesem Behuf
eine weitläufige Verschwörung angezettelt hatte, umgab er
von allen Seiten mit einer unsichtbaren Wache, die er so
geschickt zu leiten wußte, daß die Schuld der Verschwörer
bald sonnenklar dastand und Rom um den Preis des Lebens
einiger weniger, die sich am schwersten versündigt hatten,
gerettet werden konnte. Das war der Konsul Cicero: als
er sein Amt niederlegte, forderte er Pompejus auf, in das
von ihm gerettete Rom zurückzukehren und daselbst den
ihm zugedachten Sitz einzunehmen.

Für ihn begann die dritte Zeit: die Zeit des zwar
langsamen, aber unaufhaltsamen Sturzes. Die Demokratie
unter Caesar erneuerte ihren Angriff, die Anarchie fand an
Clodius einen neuen Führer; die beiden aber, die den
Staat hätten retten können, Pompejus und der Senat, zogen
es vor, mit einander zu hadern, statt sich gegen die ge-

meinsamen Feinde zu verbinden. Cicero that alles, was er
konnte, um diese abzuwehren und jene zu versöhnen; trotz
der schweren Schläge, die sein Lebenswerk, die gleichmäfsig
ponderierte römische Verfassung, in diesem Kampfe aller
gegen alle trafen, harrte er auf seinem Posten aus, so lange
die Feinde den Kampf gesondert führten. Als aber die
Demokratie mit der Anarchie, Caesar mit Clodius das un-
natürliche Bündnis einging, war sein Widerstand gebrochen;
er ging in die Verbannung. Allerdings war diese Verbannung ebenso kurz, wie jenes Bündnis, und Cicero durfte
bald im Triumphe nach Rom zurückkehren. Aber helfen
konnte er nicht mehr; die Verfassung war zerstört, die
Anarchie wütete in Rom, während der Führer der Demokratie an der Spitze seiner Legionen in Gallien kämpfte
und dort die Schicksalsstunde abwartete, die ihn als er-
sehnten Retter und Herrscher in die ewige Stadt rufen würde.

Sie kam auch, wenn auch nicht ganz so, wie es der
künftige Herr von Rom sich hatte denken können. Die
Orgien der Anarchisten wurden durch zwei unerwartete
Ereignisse jählings unterbrochen: das eine war der Tod
des Clodius, das andere die Diktatur (oder, genauer gesprochen, die Quasidiktatur) des Pompejus, der sich im
entscheidenden Augenblick mit dem Senate ausgesöhnt hatte.
So sehr auch diese Versöhnung der aufrichtigen Herzlich-
keit ermangelte und den Charakter des Notgedrungenen
an der Stirne trug — sie bewies doch Caesar, dafs er
auf friedlichem Wege sein Ziel nicht erreichen würde. So
wurde der Krieg notwendig, der Krieg zwischen dem allein-
herrschenden Feldherrn mit seinem wohldisciplinierten Heere
einerseits und einer vielköpfigen Menge einander mifs-
trauender und unbotmäfsiger Senatoren andrerseits. Cicero
verhehlte sich das Bedenkliche dieser Sachlage nicht; wie
seine Briefe uns lehren, sah er die Niederlage des Senates
voraus. Trotzdem setzte er den Versuchungen Caesars, der
ihn in den ehrenvollsten Ausdrücken nur um seine Neu-
tralität bat, eine feste Weigerung entgegen und folgte dem
Kämpfer, von dem er wufste, dafs er seinem Verderben
entgegenging.

Mit dem Siege und der Alleinherrschaft Caesars war
auch Ciceros Schicksal entschieden. Wie dringend ihn auch

der neue Gebieter aufforderte, seinen Platz im Senat wieder
einzunehmen — er mochte nicht mit Unrecht glauben, daſs
mit dem greisen Republikaner zugleich die Ehre und Gesetzlichkeit für seine Sache gewonnen werden würden —,
Cicero befliſs sich durchaus einer kühlen, wenn auch ehr-
erbietigen Zurückhaltung; nur selten benützte er die ihm
vom Sieger gewährte Redefreiheit, um für einen vom Kriege
verschonten Pompejaner ein gutes Wort einzulegen oder
für seine Rückberufung zu danken. Das politische Ideal,
für das er in den besten Jahren seines Lebens gekämpft
hatte, war unwiederbringlich dahin, und er wuſste, daſs
dem so war; zudem fiel die Vernichtung dieses Ideals mit
der Vernichtung seines Familienglückes zusammen. Unter
dem Druck dieses doppelten Unglücks kehrte er zur Lieb-
lingsbeschäftigung seiner Jugend, zur Philosophie zurück.
Sie sollte ihn zunächst trösten; allein der schaffende Trieb
war in ihm noch zu mächtig, als daſs er auf die Dauer
nur der Empfangende hätte bleiben können. Da er sah,
daſs die Schatzkammer der griechischen Weisheit römischer-
seits noch fast unberührt geblieben war, beschloſs er, sie
seinen Landsleuten zugänglich zu machen. Sein Zweck
war zunächst, den Römern in ihrer eigenen Sprache das
Verständnis der Ideen zu eröffnen, die er den führenden
Geistern der Hellenen verdankte, auf daſs dieser Born der
Erquickung auch ihnen ebenso reichlich und rein strömte,
wie ihm; aber die Ergebnisse seiner Thätigkeit übertrafen
bei weitem ihren nächsten Zweck. Indem er die Gedanken
der griechischen Meister lateinisch darlegte, und zwar mit
all dem Zauber, der seinem Stile einmal eigen war, hat
er nicht nur Rom, sondern den gesamten gebildeten und
bildungsdurstigen Westen der griechischen Philosophie, das
heiſst der Philosophie überhaupt, zugeführt. Es ist nicht
nötig, gerade hier diese Behauptung zu begründen — es
wird im Lauf der weiteren Betrachtung mehr als hinreichend
geschehn. Hier nur die Bemerkung, daſs die Kulturgeschichte nicht viele Momente kennt, die an Bedeutung
dem Aufenthalte Ciceros auf seinem tusculanischen Gute
während der kurzen Alleinherrschaft Caesars gleichkämen.

Der Tod Caesars machte seiner Muſse ein Ende; naturgemäſs war Cicero dazu berufen, die Geschicke der — wie

er glaubte — wiedergeborenen Republik zu leiten. Ihre kurze Dauer giebt uns kein Recht, über die Hoffnungen ihrer letzten Kämpfer hochmütig abzuurteilen; vielmehr wird der Blick eines wahren Freundes der Menschheit mit inniger Rührung an dem damaligen Cicero hängen, diesem 63jährigen Greis, der mit staunenswertem, wahrhaft jugendlichem Eifer sein philosophisches Einsiedlerleben mit der neuen staatsmännischen Wirksamkeit vertauschte, der kühn dem Nachfolger Caesars, Antonius, den Fehdehandschuh hinwarf und von seinem Senatorensitze aus das ganze römische Reich regierte. — Bekanntlich war der Ausgang des Kampfes ein unglücklicher; aber der Tod Ciceros brachte zugleich den Tod der Republik, und dieses Zusammentreffen, das kein zufälliges war, umgab seine Gestalt für die Nachgeborenen, so lange der römische Name lebte, mit einer Glorie nicht nur des Ruhmes, sondern auch des Märtyrertums.

2.

Das politische Ideal, für das Cicero gestritten und gelitten hatte, war mit ihm für immer dahin. Sein Nachglanz freilich glühte noch lange fort in den Herzen der besten Römer, bald in neuem, blendendem Schimmer erstrahlend — so nach Nero, unter Marc Aurel, unter Alexander Severus —, bald verblassend und hinsterbend; für die lebendige Wirklichkeit hatte es zu bestehen aufgehört.

Dafür hatte ein andres Erbe den gemordeten Republikaner überlebt: sein litterarischer Nachlaſs — Reden, Briefe, Traktate meist philosophischen Inhalts. Hätte ihn jemand bei Lebzeiten gefragt, welchen Nutzen er von diesem Nachlaſs für die Folgezeit erwarte — er hätte bezüglich der philosophischen Schriften wohl die oben von uns gebrachte Antwort gegeben, bezüglich aller rednerischen Arbeiten dagegen gewiſs nur die, daſs er in ihnen lebendige Stilmuster sehe, nach denen sich der litterarische Geschmack der Mit- und Nachwelt richten könne und solle; diesen Gedanken deutet er mehr als einmal an. Viel später sollte eine Zeit kommen, welche den Schriften Ciceros eine ganz andere Bedeutung beimaſs — eine Bedeutung, die er selbst sich nie erkühnt hätte zu beanspruchen. Für den Augenblick schien es jedoch, als sollte er nicht einmal mit seinen eigenen, verhältnismäfsig so bescheidenen Forderungen durchdringen. Schon in seinen letzten Jahren hatte sich gegen ihn eine litterarische Opposition gebildet; als er starb, war die Norm, die er der lateinischen Rede vorgeschrieben hatte, an allen Punkten teils in vorwärtsstrebender, teils in rückläufiger Bewegung verlassen. Es war die Zeit der reichsten, üppigsten Entfaltung der lateinischen Sprache; kein Wunder, dafs ihr Genius am Beharren kein Genüge fand, dafs es ihn mächtig von der Mitte nach den beiden Polen zog. Daneben liefsen sich aber auch Stimmen hören, die zur Rückkehr und zur Wiederaneignung des einmal gefundenen Schönheitsideals mahnten; der Mann, der diese Forderung am entschiedensten stellte und in weiten Kreisen zur Geltung brachte, war Quintilian. Ohne die Grösse Senecas zu verkennen, eiferte dieser erste römische Professor der Eloquenz doch unermüdlich gegen die Zeitgenossen, die ihn als Stilmuster empfahlen, und wies beständig auf Cicero hin, als den einzigen, dem man ohne Gefahr folgen könne: „je mehr dir Cicero gefällt, desto sicherer kannst du deiner Fortschritte sein". So kam es, dafs zur Zeit seines zweiten säkularen Gedenktages Cicero das anerkannte Haupt der römischen Litteratur war.

3.

Der dritte Gedenktag fiel mit jener Erschütterung des römischen Reiches zusammen, von der E. Renan nicht mit Unrecht das Ende der antiken Welt datiert; mit ihm beginnt die Übergangszeit, welche das heidnische Rom zuerst in eine christliche Monarchie, im weitern Verlaufe aber in jene lateinisch-germanische „Romania" (wie sie Orosius nennt) umwandelte. Die wichtigste Kulturkraft dieses Zeitalters war das Christentum; welcher Art war das Verhältnis, das diese neue Religion zu Cicero einging? Was konnte ihr Cicero sein?

Wenn wir ihren eifrigsten Bekennern glauben — nichts, absolut nichts. „Unsere Lehre", sagt Tertullian, „geht von der Halle Salomons aus, der auch selber gesagt hat, dafs man dem Herrn in Einfalt dienen solle. Hütet euch, ihr, die ihr ein stoisches, ein platonisches, ein dialektisches Christentum ausgeklügelt habt! Wir brauchen unsre Ge-

danken nicht mehr anzustrengen, seit wir Jesus Christus
haben; wir brauchen nicht mehr zu suchen, seit wir das
Evangelium haben. . . . Wenn wir nur glauben, so thut
uns nichts Weiteres not." Diese Worte waren allerdings
das Todesurteil Ciceros, der im christlichen Rom nur dann
leben konnte, wenn sein Christentum eben ein stoisches,
dialektisches und platonisches war. Aber wenn es auch
für gewisse Leute vorteilhaft sein mag, die Kirchenväter
samt und sonders in einen Topf zu rühren, um dann aus
ihnen mit der ihren Berufsgenossen eigenen Fertigkeit die
Moral herauszubrauen, das Christentum als Ganzes habe
sich zum angeblichen Dogma vom klassischen Altertume
feindselig verhalten, — so ziemt es sich für ernsthafte Forscher, die verschiedenen Richtungen auseinanderzuhalten
und der heils- und lebenskräftigen den Vorzug zu geben.

War Cicero der einzige, dem Tertullian das Todesurteil sprach? Man vergegenwärtige sich, was es heißt: „wenn
wir nur glauben, so thut uns nichts Weiteres not"; man denke
an die Lage, in der sich die Kultur der christlichen Welt
befinden würde, wenn die radikalen Ideen Tertullians im
Westen und seines Gesinnungsgenossen Tatian im Osten
den Sieg davongetragen hätten, und nicht vielmehr die
humanen Anschauungen eines Minucius und Augustin, eines
Clemens von Alexandrien und Basilius: sie wäre wohl nicht
allzuverschieden von den stagnierenden Zuständen, zu denen
die musulmanische Kultur verurteilt ist seit den Tagen, da die
radikal-islamistische Partei die Führer der persisch-arabischen
Aufklärung besiegt und vernichtet hat. Und doch — was
ließ sich vom christlichen Standpunkte gegen die Forderung
Tertullians einwenden? Von der logischen Unwiderstehlich-
keit seiner Worte überzeugen wir uns noch mehr, wenn
wir die Gründe der Gegner lesen. Wenn Clemens von
Alexandrien die „unwissenden Schreier", die gegen die
hellenische Philosophie ankämpfen, mit den Gefährten
des Odysseus vergleicht, die sich die Ohren mit Wachs
verstopfen, um den Gesang der Sirenen nicht zu hören,
weil sie sich ihm gegenüber ohnmächtig wissen — so beweist dieser hübsche Vergleich im besten Falle die Un-
schädlichkeit der antiken Philosophie für glaubensstarke
Christen, nicht aber ihren Nutzen und noch viel weniger

ihre Notwendigkeit. Es ist nicht anders: die Forderung
Tertullians ist vom christlichen Standpunkte nicht wider-
legbar; wer wahrhaft glaubte, dem that nichts Weiteres not.

Wie kam es aber, dafs sie doch herübergerettet wurde,
die ganze heidnische, gottverlassene Kultur?

Wir kommen über Clemens' treffendes Gleichnis nicht
hinaus. Wenn die Antike durch das Christentum nicht vernichtet wurde, sondern nach vollzogenem Ausgleich mit ihm
weiter herrschen durfte, erst in Rom, dann in 'Romanien',
dann in der ganzen civilisierten Welt, so verdankte sie es
nicht irgend welchem Nutzen, der ihr in den Augen des
Christen innegewohnt hätte: sie war für ihn jener Sirenengesang, von dem er sich nicht mehr losreifsen konnte, nachdem er einmal sein Ohr getroffen hatte. Mochten auch
Vernunft und Glauben ihm zureden, dafs seine Sorge ausschliefslich dem ewigen, himmlischen Leben zu gelten habe,
und dafs er zu dessen Erringung nichts brauche, als was
ihm seine eigenen Bücher — Moses und die Propheten,
das Evangelium und die Apostel — boten; was konnte
das trübe Wort der Entsagung ausrichten, wenn die Sirenen
sangen: „Kehr bei uns ein, vielgewandter Odysseus . . . .
wir wissen alles, was da vorgeht auf der allernährenden Erde"? Was konnte es ausrichten, wenn dieses Lied
von der allernährenden Erde verwirrend in die himmlischen Harmonien hineintönte und schmeichelnd das Herz
des armen Erdensohnes umgarnte? Da sehn wir ihn denn
grübeln und nach Mitteln suchen, die himmlische Liebe
mit der irdischen auszusöhnen; zuletzt sollten die Sirenen
gar Engel gewesen sein, wenn auch gefallene, so dafs
ihr Lied für einen Nachhall himmlischer Musik ausgegeben
werden durfte. Bestimmend aber waren für ihn nicht diese
seltsamen Ausflüchte, über deren Aufrichtigkeit wir mit ihm
nicht rechten wollen, sondern lediglich Eins — dafs es ihm
nicht mehr aus den Ohren wollte, das Lied von der allernährenden Erde.

Das steht urkundlich fest; wir besitzen darüber das
Zeugnis eines Kämpfers, der sich mit der gröfsten Leidenschaftlichkeit gegen diesen Zauber gewehrt hat und ihm
doch unterlegen ist — das Zeugnis des Hieronymus. Die
Stelle ist bekannt, kann aber doch in diesem Zusammenhang

nicht umgangen werden; sie steht in seinem Briefe an Eu-
stochion, die er durch sein eigenes Beispiel vor der weltlichen Weisheit warnen will: „Als ich — es ist schon lange
her — beschlossen hatte, um des Himmelreichs willen
Haus, Eltern, Schwestern und Verwandte zu verlassen,
aufserdem, was noch schwerer war, auch auf die ge-
wohnte mehr oder minder schmackhafte Speise zu ver-
zichten und des frommen Werkes halber nach Jerusalem
zu ziehen, habe ich es doch nicht über mich bringen
können, mich meiner Bibliothek zu berauben, die ich mit
soviel Mühe und Anstrengung in Rom gesammelt hatte.
Da habe ich denn gefastet, ich Elender, um den Fasten-
tag mit der Lektüre Ciceros zu beschliefsen! . . .
so sehr hatte mich jene uralte Schlange umstrickt. Da traf
sich's aber — es war just um Mittfasten —, dafs ein heftiges
Fieber meinen erschöpften Leib ergriff und, ohne mir Rast
zu gönnen, mit so unglaublicher Wut meine armen Glieder
peinigte, dafs sie kaum noch zusammen hielten. Schon
wurden Vorbereitungen zu meinem Begräbnis getroffen; mein
ganzer Leib war von der lebenspendenden Wärme der
Seele verlassen und fühlte sich kalt an, nur die Brust war
noch warm und arbeitete heftig. Plötzlich überkam mich
ein Gefühl, als ob ich zum Tribunal des Richters geschleppt
würde; es war dort so viel Licht, ein solcher Glanz ging
von den Umstehenden aus, dafs ich aufs Antlitz niederfiel
und nicht einmal die Augen zu erheben wagte. Man fragte
mich, wer ich sei; ʽein Christʼ, antwortete ich. ʻNeinʼ.
sagte der Vorsitzende, ʻdu bist nicht ein Christ, sondern
ein Ciceronianer; denn wo dein Schatz ist, da ist auch
dein Herz.ʼ Sogleich verstummte ich und fühlte den Schmerz
der Streiche, mit denen er mich züchtigen liefs; noch mehr
aber marterten mich die Flammen meines Gewissens . . . .
Endlich fielen die Anwesenden dem Richter zu Füfsen
und baten ihn, er möchte mit meiner Jugend Nachsicht
haben und dem Sünder Zeit zur Bufse gewähren. Auch
ich . . . . begann zu schwören und zu rufen: ʻHerr, wenn
ich jemals weltliche Bücher bei mir halten und lesen werde,
so behandle mich wie einen Abtrünnigenʼ. Nach diesem
Schwur wurde ich entlassen und kehrte auf die Erde zurück; zum allgemeinen Erstaunen öffnete ich die Augen

und weinte so heftig, dafs selbst die Zweifler dem Zeugnisse meiner Zerknirschung Glauben schenkten." Wenn schon diese Beichte des Hieronymus hinreichend ermessen läfst, welch gewaltiger Zauber den Schriften Ciceros in den Augen der besten Streiter der westlichen Kirche innewohnte, so bietet seine ganze weitere litterarische Wirksamkeit noch unumstöfslichere Beweise dafür. Er war nicht imstande, seinen Eid zu halten; nach wie vor blieb Cicero sein Lieblingsautor. Er citiert ihn unendlich oft und mit grofser Wärme; aber selbst diese Citate geben keinen genügenden Begriff von dem übermächtigen Einflufs, den der Philosoph der römischen Republik auf ihn ausübte, und jeder Cicerokenner wird bei ihm auf Schritt und Tritt Gedanken und Wendungen finden, die ihm aus dieser seiner Hauptquelle zugeflossen sind.

Diese Abhängigkeit wurde ihm nicht verziehn. Als die origenistischen Streitigkeiten entbrannten und Hieronymus für seine früheren Sympathien mit dem grofsen Alexandriner von seinem ehemaligen Freunde Rufinus aufs heftigste angegriffen wurde, da mufste er sich auch wegen jenes Cicero betreffenden Eides verantworten, den er wohl geschworen, aber nicht gehalten hatte; gar harte Worte liefsen sich hören — *perjurium*, *sacrilegium*. „Allerdings", schrieb er, „habe ich gelobt, keine weltlichen Bücher mehr zu lesen, aber das war doch nur eine Verpflichtung für die Zukunft, kein Verzicht auf den Erwerb der Vergangenheit. Oder hätte ich am Ende aus jener Lethe, von der die Dichter fabeln, trinken sollen, um mich nicht wegen des Ertrages meiner Lehrjahre Vorwürfen auszusetzen?" Nicht zufrieden mit der Verteidigung, geht er zum Angriff über. „Woher aber", fragte er, „ward denn dir diese Fülle des Ausdrucks, dieser Glanz der Gedanken, diese Mannichfaltigkeit der Wendungen? Entweder irre ich, oder — du pflegst selber im Stillen den Cicero zu lesen!" Freilich, dieser Vorwurf zieht nicht: Rufinus hatte ja kein Gelübde abgelegt. Hieronymus kehrt zur Verteidigung zurück und schliefst mit den Worten: „Solches würde ich sagen können, wenn ich jenes Versprechen wachend gegeben hätte; was soll man aber zu der Schamlosigkeit meines Gegners sagen, der mich eines Traumes wegen zur Rechenschaft

zieht! ... Er soll doch auf die Stimme der Propheten
hören, die Träumen zu glauben verbieten; oder meint er
auch, dafs ein im Traume vollzogener Ehebruch mich zu
ewigen Qualen verdammt? und dafs ein erträumtes Marty-
rium mir den Himmel erschliefst?"

Wir mufsten uns an Hieronymus wenden, weil er uns
die Urkunden hinterlassen hat, auf Grund deren wir uns
eine Vorstellung machen können von der Heftigkeit der
Kämpfe, die in einer edlen Christenseele tobten; es versteht sich jedoch von selbst, dafs der Einflufs Ciceros auf
das Christentum nicht erst bei Hieronymus, einem Schriftsteller des 4. Jahrhunderts, beginnt. In der That merken
wir ihn schon bei den ersten litterarischen Versuchen des
Christentums im Abendlande. Minucius Felix ist es, der
hier den Reigen führt; war er mehr Christ, oder mehr
Ciceronianer, als er sein einziges uns erhaltenes Werkchen
schrieb, die Zierde der christlich-lateinischen Litteratur, den
Octavius? Seinen Inhalt bildet ein Streit zwischen dem
Heiden Caecilius und dem Christen Octavius, der den
Glauben zum Gegenstande hat; der Streit ist — und das
eben ist das eigentümliche an ihm — ein ernsthafter und
aufrichtiger; der Heide gehört nicht zu jenen Scheingegnern,
die nur insoweit kämpfen, als es für die Hauptrolle vorteilhaft ist, durchaus nicht — wenn wir seine Einwendungen
lesen, vergessen wir, dafs sie von einem Christen verfafst
worden sind. Es ist eben ein wirklicher Heide, der in der
Gestalt des Caecilius vor uns steht, der Pontifex Cotta aus
Ciceros Schrift *de natura deorum;* diese Schrift ist für die
ganze Inscenierung und Ökonomie des Gesprächs das Muster
des Minucius gewesen.

Das wirft ein helles Streiflicht auf die Beziehungen
der Christen zu Cicero um dessen dritten säkularen Gedenktag; blieben sie auch bis zum vierten dieselben?

A priori läfst sich das nicht erwarten, aus folgenden
Gründen. Erstens war dieses Jahrhundert, die Zeit zwischen
Commodus und Diocletian, die Epoche des vollen Verfalles
der römischen Litteratur und einer schauerlichen Verwilde-
rung der Sitten; zweitens fielen die grausamsten Christen-
verfolgungen — es genüge, an die Namen Decius, Valerian
und Diocletian selber zu erinnern — eben in jene Zeit.

Es würde uns nicht Wunder nehmen, wenn den Christen
das Studium der heidnischen Bücher unter diesen Umständen gründlich verleidet worden wäre, etwa wie die
Juden aus einem ähnlichen Anlaſs die Beschäftigung mit
dem Griechischen verschworen hatten; daſs es trotzdem
nicht dazu kam, beweisen die Schriften des Lactanz.
„Da ich des Leibes und der Seele Erwähnung gethan habe"
— so spricht er zu Anfang seines Traktates *de opificio Dei*,
„so will ich, soweit es mir die Schwachheit meiner Einsicht gestattet, das Wesen der beiden entwickeln. Ich
halte das hauptsächlich deshalb für meine Pflicht, weil
M. Tullius bei all seinem hohen Geist diesen Gegendstand
in zu enge Schranken eingeschlossen .... und nur die
Hauptpunkte kurz angedeutet hat." So knüpft die christliche Philosophie an Cicero an; eine wahre oder schein-
bare Lücke — wir können das nicht mehr kontrolieren —
im System Ciceros wird für Lactanz zum Ausgangspunkte
einer Abhandlung. Natürlich ist das nicht das einzige Beispiel. Seine zweite Monographie, *de ira Dei*, ist gegen die
Epikureer gerichtet und hat ebenfalls Cicero, speziell das
zweite Buch *de natura deorum*, zur Grundlage; seine Abhängigkeit von diesen seinen Mustern ist in den beiden
Monographien so groſs, daſs Hieronymus — selbst ein gewiegter Cicerokenner, wie wir wissen, und dazu ein Verehrer des Lactanz, — sie eine Epitome der ciceronianischen
Dialoge nennen durfte. Selbständiger ist unser Autor in
seinem Hauptwerk, *divinae institutiones* — über den wahren
und falschen Glauben, die wahre und falsche Weisheit,
u. a. — aber auch hier geht das fünfte Buch (*de justitia*)
zum groſsen Teile auf Ciceros drittes Buch *de republica*
zurück, desgleichen das sechste (*de vero cultu*) auf sein
noch berühmteres Werk *de officiis*. Von der Abhängigkeit
im kleinen, die sich überall durch Citate und sonstige Ent-
lehnungen kund giebt, haben wir hier abgesehn, und ebenso
von dem Einflusse der Sprache Ciceros auf den christlichen
Philosophen; dieser Einfluſs war so groſs, daſs der näm-
liche Hieronymus an Lactanz „den Strom ciceronianischer
Beredsamkeit" feierte.

Wenn so sich das leidende Christentum zu Cicero
verhielt, so wird es uns nicht wunder nehmen, daſs auch

das triumphierende ihn nicht verläugnet hat; um uns
davon zu überzeugen, müssen wir vom vierten Gedenktag
zum fünften übergehn. Hier begegnet uns die gewaltige
Gestalt des mailändischen Bischofs Ambrosius. Seine
Werke sind ungemein zahlreich; keines von ihnen war aber
so bekannt und hatte eine so nachhaltige Wirkung, wie
seine drei Bücher *de officiis ministrorum.* In ihnen setzt der
Autor das Werk des Lactanz fort, der es zuerst (in seinen
divinae institutiones) unternommen hatte, seinen Lesern eine
auf religiöse Grundlagen aufgebaute Ethik zu geben —
freilich unter gänzlich veränderten Verhältnissen. Lactanz
schreibt für Heiden und glaubensschwache Christen, Ambrosius für seine Gemeinde; Lactanz streitet und wirbt,
Ambrosius lehrt. Das apologetische Element fehlt daher
dem Werke des Ambrosius; wie es sich für den Zeitgenossen Theodosius des Grofsen ziemte, schreibt er ruhig
und majestätisch. Dieses Werk nun ist, um mit Ebert
zu reden, nicht nur eine direkte Nachahmung der berühmten
Schrift Ciceros *de officiis*, sondern gradezu eine Übertra-
gung derselben ins Christliche. In der That hat Ambrosius
hin und wieder etwas an Cicero zu bessern; so bemerkt
er im Laufe seiner Erörterung über die Gerechtigkeit als
die Grundlage des sozialen Lebens, wo er im wesent-
lichen seinem Vorbilde folgt: „Uns ist gesagt worden, die
erste Forderung der Gerechtigkeit bestünde darin, dafs
wir niemand kränken, aufser wenn wir durch Kränkungen
herausgefordert worden sind; diese Ausnahme kann aber
vor der Autorität des Evangeliums nicht bestehen"; so setzt
er an die Stelle der selbstgenügsamen Tugend Ciceros die
christliche Tugend, durch die das ewige Leben erworben
wird — was ihn jedoch nicht hindert, diese Tugend gleich
Cicero aus der menschlichen Natur herzuleiten, wobei deren
angeerbte Verderbtheit ihn nicht sonderlich bekümmert zu
haben scheint. Im allgemeinen begnügt er sich jedoch damit, dafs er die im Anschlufs an Cicero aufgestellten
ethischen Forderungen mit Beispielen aus dem alten Testa-
ment erhärtet, die somit an Stelle der von Cicero selbst
ausgewählten Beispiele aus der römischen Geschichte treten;
in allem übrigen folgt er seinem Vorbild durchaus. Damit
ist gesagt, dafs durch Ambrosius die Ethik Ciceros die an-

erkannte christliche Ethik geworden ist. Denn wir müssen beherzigen, daſs viele Jahrhunderte lang die Bücher des Ambrosius *de officiis ministrorum* in der abendländischen Kirche als das wesentlichste, wo nicht das einzige Lehrbuch der christlichen Moral in Geltung waren; diese eine Thatsache wird uns in den Stand setzen, den Einfluſs Ciceros auf das Christentum in seiner ganzen gewaltigen Bedeutung zu würdigen.

Und doch haben wir das höchste noch nicht erwähnt. Es mag wunderbar erscheinen, daſs durch Ambrosius Cicero verchristlicht worden ist; noch wunderbarer ist, daſs schon vorher Cicero einen Heiden zum Christentume bekehrt hatte, und daſs dieser sein Neophyt kein anderer war, als die spätere Säule des Christentums, die Zierde und der Stolz der abendländischen Kirche, Augustin. Die Thatsache, von der die Rede ist, steht völlig fest; der sie uns berichtet, ist der einzige, der um sie wissen konnte, Augustin selbst; und er berichtet sie uns in einer Schrift, in der er aus Furcht vor dem ewigen Strafgericht die Wahrheit zu sagen verpflichtet war, in seinen Bekenntnissen. Die Stelle ist nicht weniger berühmt, als die obenangeführte aus Hieronymus, und für unsere Zwecke ebenso unumgänglich. „In meinem noch ungefestigten Alter", lesen wir da, „durchforschte ich die Denkmäler der Redekunst, in welcher ich mich zu vervollkommnen trachtete, gemäſs dem nichtigen und verdammungswürdigen, aber doch vom Standpunkte der menschlichen Eitelkeit reizvollen Ziel, das ich mir aufgestellt hatte. So kam ich denn, der hergebrachten Stufenleiter der Lehre folgend, an eine gewisse Schrift Ciceros — jenes Cicero, dessen Rede alle bewundern, auch diejenigen, die für seinen Geist kein Verständnis haben. Diese Schrift enthielt die Aufforderung, sich der Philosophie zuzuwenden, und trug den Titel ʻHortensiusʼ. Ihr verdanke ich den völligen Umschlag meiner Neigungen; sie wies meinen Gebeten die Richtung zu dir, o Gott; sie gab meinem Wünschen und Trachten ein neues Ziel. Schal und leer erschienen mir von nun an alle eitlen Hoffnungen; eine unnennbare Sehnsucht nach der ewigen Weisheit ergriff mein Herz; ich erhob mich, um zu dir zurückzukehren. Nicht ein Werkzeug zur Schärfung der Zunge hatte ich an dem

Buche gefunden; nicht durch die äußere Form, sondern durch den Gehalt seiner Rede hatte mich der Mann gefesselt. Wie glühend, o mein Gott, wie glühend war mein Durst, alles irdische zu lassen und mich zu dir zu erheben!"

Das ist das höchste. Wir erinnern uns der frommen Legende vom Dichter Statius, der durch die Lektüre Vergils zum Christentum bekehrt sein soll; Dante gedenkt ihrer in seinem „Fegefeuer": Statius wird dort Vergils ansichtig und begrüßt ihn mit den warmen Dankesworten: *per te poeta fui, per te cristiano.* Vor der Kritik hat diese Legende freilich nicht bestehen können; dafür hatte aber Augustin das volle Recht, dereinst zu Cicero zu sagen: *per te filosofo fui, per te cristiano* — wenn er ihm je im Jenseits hätte begegnen können.

Ob ihm wohl diese Begegnung so ganz unmöglich erschien? In einem seiner Briefe gedenkt er jener Stelle in der Epistel Petri, wo von Christi Höllenfahrt die Rede ist. „Es wäre vermessen", sagt er, „des näheren auszuführen, wen er da erlöst hat; wenn aber jemand beweisen könnte, daß er alle befreit hat — was wäre das für eine Freude für uns! Am meisten würde ich das für einige von ihnen wünschen, die ich ihrer Schriften wegen kenne und liebe, die wir ihrer Beredsamkeit und ihrer Weisheit wegen ehren . . . ." Braucht es noch weiterer Beweise, daß unter diesen letzteren Augustin vor allen, wenn nicht ausschließlich, den Redner und Philosophen Cicero meint? Und gewiß war das der ehrlichste und edelste Rettungsweg aus dem Dilemma, unter dem Hieronymus seufzte, daß die Christen den Mann, dem sie so viel verdankten, für den ihrigen erklärten — wenn nicht mittels eines bindenden Dogmas, so doch in der Form, in der Augustin es that, in der Form einer frommen Hoffnung, eines liebreichen Wunsches.

Cicero der Christ — einen solchen kennt also bereits die Zeit, die auf den fünften Gedenktag folgte; aber nicht alle Zeitgenossen Augustins waren mit dieser Auffassung einverstanden. Der Einfluß Ciceros auf das Christentum hatte die Entstehung einer christlichen Litteratur in lateinischer Sprache zur Folge gehabt, die ja gewiß nicht klassisch, aber doch höchst ehrenwert war. Diese Erscheinung hat wiederum eine andere veranlaßt — die Wiedergeburt der heidnischen Litteratur, die nach Marc Aurel so gut wie verstummt war; Symmachus und Macrobius waren die Hauptvertreter der wiedergeborenen Prosa, Claudian der Hauptvertreter der wiedergeborenen Poesie. Konnten sie es dulden, daß die Christen, ihre Feinde, sich für die alleinberechtigten Erben ihrer großen Ahnen ausgaben, für die Erben der beiden Könige der Poesie und der Prosa, Vergils und Ciceros? So wenig glaubhaft das wäre, so dürfen wir doch von ihnen auch keine Polemik erwarten: das ist eben das Kennzeichen dieser kurzen Nachblüte der heidnischen Litteratur, daß sie ihre Gegner durchaus ignoriert und ihren Angriffen ein stolzes Schweigen entgegensetzt; ihres Unterganges gewiß, wollte sie nach Römerbrauch untergehen. Von Polemik konnte also keine Rede sein; wenn aber Macrobius von seinen beiden Hauptwerken das eine Vergil, das andere Cicero widmet, wenn er in dem ersteren Vergil als das Haupt der heidnischen Religionswissenschaft, den unfehlbaren Deuter des pontificalen und auguralen Rechtes feiert, während er in dem anderen einen Abschnitt aus Ciceros Büchern *de republica* (den berühmten Traum Scipios) kommentiert und bei der Gelegenheit die ganze neuplatonische Mystik, die letzte Waffe des Heidentums, in seinen Autor hineindeutet — so verstehn wir leicht, was das zu sagen hat. Aber freilich konnte diese zweifellos würdige Demonstration den Heiden lediglich eine moralische Genugthuung bieten.

4.

Das war in großen Zügen die äußere Geschichte der Einwirkung unsres Helden auf die führenden Geister der Christenheit während der großen Eruptionsperiode, die der antiken Welt ein Ende machte; sie auch noch durch die sedimentären Schichten des Mittelalters zu verfolgen können wir uns ersparen. Immerhin ist die oben aufgeworfene Frage, was Cicero dem Christentum hat sein können, durch die Konstatierung seines Einflusses noch nicht beantwortet — wir wünschen die inneren Gründe diese Erscheinung zu erfahren.

Der Nachlaſs Ciceros bestand aus Traktaten, Reden und Briefen. Letztere waren für die Christen ganz ohne Belang und gerieten bald in Vergessenheit. Die Reden wurden in den ersten Jahrhunderten gelesen, aber ausschlieſslich ihrer formellen Schönheiten wegen, „zur Schärfung der Zunge", wie Augustin oben sagt. Materiellen Wert hatten nur die Traktate, dabei vorwiegend die philosophischen; in der That haben wir gesehen, daſs alle Schriften Ciceros, welche auf die christliche Litteratur irgend wie eingewirkt haben, zu dieser Gattung gehörten; auf sie haben wir uns also zu beschränken.

Was konnte Ciceros Philosophie der christlichen Religion bieten? Diese Frage hängt mit der weiteren zusammen: wie war Ciceros Stellung zur Religion überhaupt? Da ist nun zunächst zu betonen, daſs er, den Traditionen des scipionischen Kreises entsprechend, die ihm durch seinen Lehrer Scaevola übermittelt worden waren, eine dreifache Religion unterschied, eine poetische, eine bürgerliche und eine philosophische — wir würden etwa von einem mythologischen, einem rituellen und einem dogmatischen Teil der Religion überhaupt reden. Ihm waren es drei Religionen, und mit Recht: die Kreise ihrer Adepten waren eben verschieden. Die poetische Religion, also die Mythologie, für die Römer überhaupt ein exotisches Produkt, wurde kaum von jemand ernst genommen; ihr Tempel war das Theater, ihre Priester die Dichter; übrigens stand es jedem frei, sich nötigenfalls mit Hilfe allegorischer und anderer Umdeutungen so viel davon zuzuführen, als es ihm dienlich dünkte. Die bürgerliche Religion, also die Gesamtheit der vom Staate anerkannten Riten, war für alle Staatsbürger obligatorisch; ein Gewissenszwang wurde dadurch nicht ausgeübt, da es ja jedem unbenommen war, sich bei den einzelnen Kulthandlungen was er gerade wollte und also auch gar nichts zu denken; das Bewuſstsein der Zusammengehörigkeit, das die Beteiligung an den gleichen Ceremonien im Gefolge hatte, konnte auch dem aufgeklärtesten recht sein; ihre eigentlichen Getreuen fand aber diese Religion in den Volksmassen, deren religiöses Bedürfnis sie befriedigte, indem sie ihnen die mystische Vereinigung mit der Gottheit während der Kulthandlung verschaffte. Die dritte endlich, die philosophische Religion, war überhaupt nur für die oberen Schichten da, die durch Bildung und Geist hoch über der Masse erhaben standen und ein persönliches Verhältnis zur Gottheit anstrebten; im Gegensatz zur bürgerlichen Religion war sie nicht einheitlich: in Athen wurden vielerlei Systeme gelehrt — man könnte auch sagen gepredigt — zwischen denen den Lernenden die Wahl freistand. Somit war die philosophische Religion dazu berufen, die Religion der Persönlichkeit zu sein; denn das Recht der freien Wahl ist ebenso sehr das unveräufserliche Recht der Persönlichkeit, wie die Forderung der Einheitlichkeit die naturgemäfse und instinktive Forderung der Masse ist.

Die philosophischen Schriften Ciceros haben natürlich die philosophische Religion zum Gegenstande; indem er sie schrieb, hat er sich jenes Rechtes der freien Wahl bedient, das ihm als einer Persönlichkeit zustand. Das haben andre auch gethan; charakteristisch ist für ihn das Mafs, in dem er es that. Viele unter seinen Zeitgenossen haben sich damit begnügt, dafs sie sich zu einem der bestehenden Systeme bekannten; nachdem sie ihrer Individualität diese eine Genugthuung gewährt, folgten sie widerspruchslos der erwählten Autorität; so war der Stoiker Cato, so auch der Epikureer Lucrez. Im Gegensatz zu ihnen verzichtet Cicero nirgends auf das Recht der Wahl; er folgt nicht Zenon, nicht Epikur, sondern seinem eigenen gesunden Menschenverstande als dem intellektuellen Exponenten seiner Persönlichkeit. Wer Cicero hierin unselbständig schilt, der wiederholt entweder verständnislos eine von aufsen zugeflogene Phrase, oder er verkennt den Unterschied zwischen der blofsen Selbständigkeit und der schöpferischen Kraft.

Wie ist nun diese Philosophie des gesunden Menschenverstandes, die wir bei Cicero dargestellt finden? Sie ist — um es in Kürze zusammenzufassen — teils positiv, teils negativ, teils skeptisch. Positiv war sie auf jenem Gebiete, wo jeder Zweifel für den Fortbestand der menschlichen Gesellschaft verderblich sein mufste — auf dem Gebiete der Moral, deren Forderungen er im Anschlufs an die Stoiker aus der menschlichen Natur herleitet. Negativ

war sie dem Übernatürlichen gegenüber, dessen Existenz er
im Anschluſs an die Epikureer unannehmbar und überflüssig fand. Skeptisch endlich verhielt sie sich zur Metaphysik; zwar am Dasein Gottes und an der Unsterblichkeit der Seele hält er fest, im übrigen aber begnügt er
sich damit, 'daſs er im Anschluſs an die neuere Akademie
die sich widerstreitenden Meinungen der Reihe nach dar-
legt. So erhalten wir zwischen dem zweifellos wahren und
dem zweifellos falschen ein weites neutrales Gebiet; mit
Rücksicht darauf hat Cicero einst das denkwürdige Wort
gesprochen: *ista sunt ut disputantur*, das sich nicht wohl
übersetzen, aber etwa folgendermaſsen umschreiben läſst:
„diese Dinge erscheinen so oder anders, je nach der Individualität dessen, der sie betrachtet". So sehn wir denn,
daſs Cicero jenes Recht der Wahl, dessen er sich selbst
im vollen Umfange bedient hatte, in demselben Maſse auch
seinen Nachfolgern gewährt; seine Philosophie ist nicht nur
individuell, sondern auch individualistisch.

Die Abhängigkeit nun des Christentums von Cicero
läſst sich, erstens, in der Form nachweisen — insofern seine
besten Vertreter und Führer sich nach Kräften in Ciceros
Sprache zu reden beflissen; zweitens, im Inhalt, insofern
der positive Teil der Philosophie Ciceros, wie wir gesehn
haben, in die Lehre der christlichen Kirche übergegangen
ist: was aber den Geist anbelangt, so lassen sich keine aus-
geprägteren Gegensätze denken, als Cicero und das Christentum. Eine dreifache oder zwiefache Religion konnte das
Christentum selbstverständlich nicht dulden; der christliche
Glaube war einheitlich und in seinen drei Bestandteilen
gleich bindend für die Persönlichkeit sowohl, wie für die
Masse. Eben damit nahm er der Persönlichkeit das Recht
der Wahl; wir wissen ja, welche gehässige Bedeutung selbst
das Wort „Wahl" — auf griechisch *haeresis* — bei den
Christen annahm. Aber freilich, indem es die Persönlichkeit demütigte, hob das Christentum die Masse auf eine
ihr bis dahin unerreichbare Höhe; und von diesem Standpunkte aus hatte es das volle Recht, damals und immerdar,
seinen Anfeindern zu sagen: „Vor mir kannte die Masse
nur den rituellen Teil der Religion: ich habe ihr dasjenige
geschenkt, was bis dahin Eigentum der Persönlichkeiten ge-

wesen war, eine Lehre, und zwar eine solche, die ich für
unumstöfslich wahr erkläre, deren Erhabenheit aber alle an-
erkennen müssen. Ich habe den Geist meiner Getreuen
aus den Volksmassen gehoben, indem ich sie anleitete nach
dem Sinn und Ziel ihres Daseins zu fragen, und indem ich
auf diese ihre Fragen klare und unzweideutige Antworten
gab; diese Antworten gebiete ich für unverbrüchlich wahr
zu halten, da sie nur unter dieser Bedingung die Masse
fördern können, die eben kein neutrales Gebiet zwischen
wahr und falsch anerkennt; ihre Tiefe aber müssen alle zu-
geben. Ich habe ihnen, meinen Getreuen, die Überzeugung
gegeben, dafs ihr Leben, so ärmlich und verachtet es auch
auf Erden erscheinen mag, in den Augen des Höchsten
seinen vollen und ungeschmälerten Wert behält, dafs jede
ihrer Gutthaten ihnen angerechnet, für jede ihrer Thränen
der Schuldige zur Rechenschaft gezogen werden wird; und
dadurch erst wurde es ihnen möglich, ihr irdisches Dasein
nicht in tierischer Dumpfheit hinzubrüten, sondern es bewufst und hochgemut, trotz all seiner Schwere, zu ertragen.
Solches habe ich für die Massen gethan; du aber, Persönlichkeit, fasse dich in Demut, dulde und schweige."

5.

War damit etwa im Verhältnis zur Gabe zu viel verlangt? Vielleicht, vielleicht auch nicht; an sich war es jedenfalls zu viel — so wie irgendwo eine Persönlichkeit ersteht,
verlangt sie ihr altes, ewiges Erbe, das Recht der Wahl,
zurück. Auch während der unbeschränktesten Herrschaft
der Kirche liefsen sich die Proteste der Persönlichkeit bald
hier, bald dort hören. Sie hatten keinen Erfolg. Die Persönlichkeit, die sich von der Masse loszulösen gewufst hatte,
wurde bald von ihr wieder verschlungen. Selten versuchte
sie es, die nächsten Teile der Masse mit sich hinzureifsen,
noch seltener gelang es ihr — dann kam es eben zum
Kampf der kleineren Masse mit der gröfseren und zur Vernichtung jener. Das ist der Sinn der religiösen Gährungen
und Kriege des Mittelalters; sie bewiesen, dafs in dieser
Richtung für die Persönlichkeit kein Heil zu erwarten war.

Es war eine Torheit, allein der Masse zu trotzen; es
war ein Verbrechen, Masse gegen Masse aufzuwiegeln; da

blieb nur eins nach — nicht im Kampfe gegen die Masse, sondern aufserhalb ihrer sein Recht zu suchen. Diesen Weg mufste, wenn auch nicht ein klares Bewufstsein, so doch der Instinkt der Sittlichkeit und der Selbsterhaltung der Persönlichkeit weisen; mit seiner Entdeckung begann die Renaissance.

Auf die Frage des Phaedrus, ob er an die Sage vom Raube der Orithyia durch Boreas glaube, antwortet Sokrates, dafs er sich wohl getraue, eine rationalistische Erklärung dieses Wunders herauszugrübeln, dafs er es aber vorziehe, in dieser Hinsicht dem Volksglauben zu folgen ($\pi\varepsilon\iota\vartheta\varepsilon\sigma\vartheta\alpha\iota$ $\tau\tilde\omega$ $\nu o\mu\iota\zeta o\mu\acute\varepsilon\nu\omega$ $\pi\varepsilon\varrho\grave\iota$ $\alpha\dot\upsilon\tau\tilde\omega\nu$), im übrigen aber seine Forschung von den Mythen abzulenken und auf seine eigene Person zu richten. Diese Worte des griechischen Philosophen erscheinen recht eigentlich als der Wahlspruch der Renaissance. Ihre Führer beteuerten aufs eindringlichste und feierlichste ihre Ergebenheit gegen die Kirche, ihre Dogmen und Institute, und diese Ergebenheit war zu instinktiv, um nicht aufrichtig zu sein; gleichzeitig suchten sie aber andere Gebiete aus, auf denen sich ihre Persönlichkeit frei entwickeln konnte, ohne mit den Interessen der Kirche in Konflikt zu geraten — zunächst in der inneren, sodann aber auch in der äufseren Welt. Der Individualismus war die treibende Kraft der Renaissance — seit Burckhardt gilt dieser Satz als erwiesen.

Eben deshalb ist die Weltflucht, oder vielmehr die Flucht vor der Masse ihr ausgeprägtes, charakteristisches Merkmal. Wir finden sie schon bei Petrarca als eine Sehnsucht nach einem einsamen, der Wissenschaft und Poesie gewidmeten Leben; sie wächst aber mit der Zeit und artet bei Machiavelli bereits in einen wahren Welthafs aus. Die Antipathie, die sie zur Masse hegten, wird von den Humanisten auch auf ihre ganze Organisation übertragen, auf jene horizontalen und vertikalen Schranken, in die sich die Masse so prächtig einzuleben versteht; die Renaissance steht dem Standesbewufstsein und dem Nationalbewufstsein gleich feindselig gegenüber. Insoweit ist sie bis zu einem gewissen Grade demokratisch und kosmopolitisch; aber dieser ihr Demokratismus und Kosmopolitismus ist rein negativer Art und eben dadurch von dem positiven Demokratismus und

Kosmopolitismus der Kirche himmelweit verschieden. Die Antipathie zur Masse wird ferner auch auf die Familie übertragen, welche die Persönlichkeit beengt und mit ihrer Schwere zur Masse niederzieht, auf das weltverflachende Gesetz und Recht, welche der Persönlichkeit in ihrem Freiheitsdrange gern Halt gebieten möchten, — glücklicherweise aber nicht können.

Das ist alles sehr konsequent; es fragt sich nur, was in diese ungeheure Lücke treten soll, um der also befreiten Persönlichkeit das Leben erträglich zu machen.

Dazu war nötig, daſs die Persönlichkeit, die sich von der umgebenden Masse losgelöst hatte, sich als Glied einer anderen, liebenswerteren Gemeinde fühlte, der Fahne eines anderen, verehrungswürdigeren Führers folgte. Die Bedeutung Petrarcas beruht eben darin, daſs er der anerkannte Führer der Humanisten war, daſs durch sein gewaltiges Wort eine Gemeinde von Gesinnungsgenossen geschaffen wurde, die erste rein weltliche Intelligenz des neuen Europas, die erst in drei Jahrhunderten selber zu einer Masse werden sollte. Diese Gemeinde wurde, wie gesagt, durch Petrarca geschaffen, er war ihr anerkannter Führer; wer aber ist sein Führer gewesen? Hören wir ihn selber: „Du bist jene lebendige Quelle" — so schreibt er ihm in seinem und seiner Gesinnungsgenossen Namen — „. . . jene Quelle, mit deren Flut wir unsere Wiesen wässern; du bist jener Führer, dessen Weisungen wir folgen, dessen Beifall unsere Freude, dessen Namen unser Schmuck ist." Der Adressat dieses Briefes ist M. Tullius Cicero.

Bei der Behandlung von Ciceros Verhältnis zu Petrarca und der Renaissance überhaupt haben wir uns vor einem Irrtum zu hüten, dem der flüchtige Beobachter nur zu leicht verfallen kann. Der Irrtum besteht darin, daſs die Persönlichkeit Ciceros in dem Gesamtbegriff 'klassisches Altertum' aufgelöst wird. So hören wir ja wohl, die mittelalterlichen Mönche hätten mit allmählich erkaltendem Eifer die Schriften der alten Autoren, darunter auch Ciceros, gelesen und abgeschrieben, Petrarca aber mit den seinen hätte sie, darunter auch Cicero, wieder zu Ehren gebracht. Dem gegenüber ist mit allem Nachdruck zu betonen, daſs der Einfluſs Ciceros auf Petrarca ein eminent persönlicher war,

dafs er auf ihn nicht als einer von den antiken Autoren
überhaupt, sondern gerade als Cicero wirkte. Damit schlagen
wir seine innere, absolute Bedeutung durchaus nicht zu
hoch an — es wäre unsinnig, Cicero über die grofsen
Griechen, Plato und Aristoteles, Homer und die Tragiker
zu erheben, — wir stellen nur die Thatsache als eine solche
hin, dafs die Renaissance vor allen Dingen eine Wiederbelebung Ciceros und erst nach ihm und dank ihm des
übrigen klassischen Altertums war.

In der That hatte Cicero während des langen Zeit-
raums, der Augustin von Petrarca trennt, nach und nach
die leitende Stellung eingebüfst, die ihm Quintilian in der
römischen Litteratur gesichert hatte. Die Kirchenväter hatten
ihm den positiven Teil seiner Lehre entlehnt, um sich dann
selber an seine Stelle zu setzen, so dafs er seitdem vorwiegend inkognito die Menschen zu bessern und zu be-
kehren fortfuhr; bei dem praktischen Charakter der mittelalterlichen Erudition behielten Livius und Sallust ihren Wert,
da es doch nötig war, die Geschichte von Städten und
Fürstenhäusern zu schreiben, und andere Muster nicht vorhanden waren; ebenso wurde Vergil gelesen, erstens als
ein Muster der Verskunst, sodann aber auch zur Erbauung,
da er ja, wie jedermann weifs, in seinen Eclogen die An-
kunft des Erlösers prophezeit und in der Aeneis allegorisch
die Wandlungen der erlösungsbedürftigen Seele dargestellt
hat: aber zu welchem Zweck hätte einer den Cicero lesen
sollen? So waren denn um die Zeit, wo Petrarca zur Welt
kam, die Briefe, die meisten Reden, alle rhetorischen und
viele philosophischen Schriften Ciceros in Vergessenheit
geraten, und auch der Rest wurde schwach gelesen; das
bischen römische Litteratur hatte nicht ihn, sondern Vergil
zum Haupte.

Unter diesen Umständen war die Renaissance undenkbar. Was hätte Vergil dem Individualismus bieten können?
Wohl verstand er die leidende Menschenseele mit der Musik
seiner herrlichen Verse einzulullen, die man erst dann zu
bewundern aufhörte, als man Latein zu verstehn verlernte;
aber der freiheitsdurstigen Persönlichkeit den Weg zu weisen
vermochte er nicht. Von Livius und Sallust versteht sich
das von selbst, und auch Seneca war als Stoiker der rechte

Mann nicht; von den Schriftstellern des Altertums konnte nur Cicero der Führer der Humanisten sein. Ich darf hier an meine obige Charakteristik der Philosophie Ciceros erinnern: 'Jenes Recht der Wahl, dessen er sich selbst in vollem Umfange bedient hatte, gewährt er auch seinen Nachfolgern in demselben Maße; seine Philosophie ist nicht nur individuell, sondern auch individualistisch.' Das war es eben, was hier not that; die Humanisten suchten einen Führer, der sie aus der geistigen Knechtschaft befreien sollte, nicht um sie zu seinen eignen Knechten zu machen, sondern um ihnen auf ewig das heilige Recht der Persönlichkeit, das Recht der Wahl, zu sichern.

Dieser Schluß, den uns die Theorie der Renaissance, als des Zeitalters der Befreiung der Persönlichkeit, an die Hand giebt, wird durch ihre Geschichte vollauf bestätigt. Wir haben gesehn, daß vor Petrarca Cicero durch die andern römischen Schriftsteller in den Hintergrund gedrängt worden war; seit Petrarca behauptet er wieder den alten Ehrensitz. Unter diesen Umständen ist die Geschichte der Bekanntwerdung Petrarcas mit Cicero von besonderem Interesse; zum Glück hat er sie uns selber in einem seiner Briefe erzählt. „Noch in der Kindheit", heißt es da, „wo andere für Märchen und Fabeln schwärmen, hat mich Cicero begeistert — ob nun ein Naturtrieb oder die Lehren des Vaters, der selber ein großer Verehrer von ihm war, das bewirkt hatten, lasse ich dahingestellt. . . . Verstehn konnte ich damals natürlich noch nichts, aber die Anmut und der Wohlklang seiner Worte *(verborum dulcedo quaedam et sonoritas)* fesselten mich dermaßen, daß alles andere, was ich zu hören oder zu sehen bekam, mir heiser und eintönig klang." Es war, wie man sieht, der alte Sirenengesang. Mit der Zeit lernte Petrarca seinen Meister auch von einer anderen Seite kennen. Er mußte sich in die Jurisprudenz vertiefen, d. h. wie er sagt, „die Bestimmungen über die Obligationen, Testamente, Servituten u. s. w. studieren und Ciceros samt seinen heilsamen Lehren vergessen; in solcher Thätigkeit habe ich sieben Jahre verbracht oder vielmehr vergeudet." Endlich begriff der Vater, warum die Rechtsgelahrtheit seinem Sohne so schwer einging; eines Tages holte er alle Werke Ciceros

und einiger anderen aus dem Versteck hervor, in dem
sie der vorsichtige junge Mann zu bewahren pflegte, und
warf sie ins Feuer, als wären es Ketzerschriften gewesen.
„Ich weinte bei diesem Anblick, als wenn ich selbst in
jenen Flammen brennen sollte. Als mein Vater diesen
meinen Schmerz sah, nahm er plötzlich zwei Bücher aus
dem Feuer, das sie beinahe schon ergriffen hatte, heraus
— es war Vergil und die Rhetorik (Pseudo-) Ciceros —
reichte sie mir lächelnd und sagte: möge dir der Eine
ein Labsal der Seele sein, zu dem man nicht allzu oft seine
Zuflucht nehmen soll, der Andre aber ein Hilfsmittel zur
Erlernung des Rechts." Diese letztere Mahnung ging verloren; sobald er es konnte, hängte Petrarca die Rechts-
wissenschaft an den Nagel und begann die Schriften seines
Lieblingsautors — besonders die damals verloren geglaubten
— zu sammeln. Viele hat er vor sicherem Untergange gerettet — wir werden schwerlich irre gehen, wenn wir behaupten, daſs wir ihm und seinen Fortsetzern, Salutati und
Poggio, die Hälfte alles dessen verdanken, was wir gegen-
wärtig von Cicero besitzen; am folgenschwersten war aber
die Wiederauffindung des Briefwechsels Ciceros mit seinem
Freunde Atticus, seinem Bruder Quintus und Brutus, in
Verona im Jahre 1345. Dank dieser Entdeckung lernten
Petrarca und die übrigen Humanisten den Cicero auch als
eine Persönlichkeit kennen.

    In der That war Cicero für das ganze Jahrtausend
vor Petrarca nur ein Begriff, eine Formel gewesen; die
christlichen Autoren erwähnen ihn oft, aber mögen sie es
nun in lobendem oder in tadelndem Sinne thun, sie meinen
immer nur seine Werke, nicht ihn selbst. Für Petrarca
freilich — wie es bei den individualistischen Neigungen der
Renaissance natürlich ist — war Cicero von vornherein ein
lebendiger Mensch; er stellte sich ihn aber, seinem Ideale
entsprechend, als einen leidenschaftslosen Weisen vor, welt-
erfahren und weltverschlossen, mit mildem, friedlichem
Lächeln auserwählten jüngeren Freunden gute Lehren er-
teilend — mit einem Worte, als den Cicero der 'Tusculanen', wie ihn die alten Kupfer darstellen. Die Lektüre
seines Briefwechsels enttäuschte ihn; es war nur begreiflich.
Der Flug des Pfeiles, der sich von fernher betrachtet so

gerade, so sicher ausgenommen hatte, erschien in der Nähe
ungleich und zitternd; der Weise der Tusculanen wurde
zu einem Menschen, der im Parteiengewirr selbst Partei
nimmt, der in seinen Entschlüssen schwankt, der Hoffnungen
faſst und bereut. Daran muſste man sich erst gewöhnen:
für den Augenblick war der Verlust zu groſs. „O du“,
schreibt Petrarca ihm ins Jenseits, „du ewig unruhiger, ewig
besorgter Greis! Warum muſstest du dir dieses beständige
Ringen, diese fruchtlosen Feindschaften zum Lebensziel
machen? Warum muſstest du deine beschauliche Muſse, die
doch deines Alters, deines Berufes, deiner Lebensstellung
allein würdig war, aufgeben? Warum muſste der eitle Glanz
des Ruhmes dich, den Greis, in die Kämpfe der Jugend
locken, um dich nach so viel Unglücksfällen eines für einen
Weisen unwürdigen Todes sterben zu lassen? Vergessen
hast du die Ratschläge deines Bruders, vergessen deine
eigenen heilsamen Lehren; gleich dem nächtlichen Wanderer
schrittest du in der Finsternis voran, die Fackel in der
Hand; du erhelltest den Pfad denjenigen, die hinter dir
gingen, muſstest aber selber in mitleiderregender Weise
straucheln . . . Um wie viel würdiger — zumal eines Philosophen — wäre es gewesen, dein Greisenalter ruhig auf
deinem Landgut zu verleben und dabei, wie du selber
irgendwo sagst, dich nicht um dies kurze zeitliche, sondern
um jenes ewige Leben zu sorgen; keinen Ämtern nachzu-
streben, nach keinen Triumphen zu trachten, um keinerlei
Catilinas der Welt deine Ruhe zu opfern! Doch darüber
wäre jetzt alles Reden verspätet; lebe wohl auf ewig, mein
Cicero. Gegeben auf Erden, in der transalpinischen Kolonie
Verona auf dem rechten Ufer des Athesis, am sechszehnten
Tage vor den Kalenden des Quintils, im tausenddreihundert-
fünfundvierzigsten Jahre nach der Geburt jenes Gottes, den
du nicht gekannt hast.“

Diesen Brief hat man kindisch gescholten; er ist aber
sehr bezeichnend, für Petrarca sowohl wie für die Humanisten überhaupt: er zeigt uns das Ideal, dem sie alle, in
der Theorie wenigstens, zustrebten. Um aber zu keinen
Miſsdeutungen Anlaſs zu geben, schrieb Petrarca nach einem
halben Jahr Cicero einen andern Brief — denselben, in
dem er ihn seinen und seiner Gesinnungsgenossen Führer

nennt. „Meine Vorwürfe", schreibt er dort, „bezogen sich
nur auf dein Leben, nicht auf deinen Geist noch auf deine
Beredsamkeit; deinen Geist bewundere ich, deine Beredsamkeit bete ich an. Ja, auch dein Leben mifsfällt mir nur
insoweit, als ich in ihm die einem Weisen geziemende
Leidenschaftslosigkeit *(constantia)* vermisse." So blieb denn
Cicero sein Ideal für immer; in seinen *Trionfi* beschreibt
er u. a. den Siegeszug der Ruhmesgöttin: an der Spitze
der römischen Litteratur schreiten zweie, gleichen Schritt
haltend mit Homer; der eine ist „der mantuanische Sänger"
(Vergil), der andere „derjenige, unter dessen Tritte der
Rasen erblüht. Das ist jener M. Tullius, bei dem sich deutlich zeigt, wieviel Blumen und Früchte die Beredsamkeit
hat; die zwei sind" — so fügt er mit dem berechtigten
Stolze des Italieners hinzu — „die beiden Augensterne
unserer Litteratur." Wir wollen dem Leser die Original-
verse nicht vorenthalten:

> . . . ed uno, al cui passar l'erba fioriva.
> Quest' è quel Marco Tullio, in cui si mostra
> chiaro, quant' ha eloquenza e frutti e fiori;
> questi son gli occhi della lingua nostra.

Die übrigen Humanisten Italiens folgten ihrem Führer —
allen voran der begeisterte Verehrer Petrarcas, Boccaccio.
In seinem Buche *de casibus virorum illustrium* — einer Kette
von Visionen in der Art der soeben erwähnten Trionfi
Petrarcas — ist auch von Cicero die Rede; er erscheint
ihm als ein Mann von wohlwollendem, ehrwürdigem Gesichts-
ausdruck, von stiller Wehmut verklärt. Bald hätte ihn
Boccaccio erkannt; aber seine Hierophantin Fortuna kommt
ihm zuvor. „Das ist der gewaltigste, der ruhmreichste unter
den Jüngern der Philosophie, das Haupt der römischen
Beredsamkeit, Tullius Cicero." Staunend erhebt Boccaccio
seine Augen auf ihn, das Bewufstsein seiner Ohnmacht
überkommt ihn; wie soll er sich erdreisten, das Leben
dieses Mannes zu beschreiben! Zuletzt entschliefst er sich
doch; es versteht sich von selbst, dafs diese Lebensbeschrei-
bung sich zu einem schwärmerischen Lobgesang gestaltet.
— Auch die folgende Generation blieb ihm treu; noch
mehr: da um diese Periode auch Petrarca zur Vergangen-

heit gehörte, so konnte von der frischen Streitlust der Zeit die Frage aufgeworfen werden, welcher von beiden bedeutender sei. Mit dieser Frage beschäftigt sich Lionardo Bruni in seinem Dialog *de tribus vatibus*, der ganz in der Art der ciceronianischen Dialoge aufgebaut ist, obgleich sein Inhalt mehr an Tacitus *de oratoribus* erinnert. Dieses interessante Werkchen kann als der Vorläufer der berüchtigten *querelle des anciens et des modernes* betrachtet werden und wäre aufs wärmste dem Forscher zu empfehlen, der es vor kurzem unternommen hat, unter anderen sanft ruhenden Leichen auch die des von seinen eigenen Landsleuten still begrabenen Perrault zu galvanisieren. Als Anwalt der Alten tritt hier Niccoli, Brunis Freund, auf; er erhebt Cicero bis in den Himmel und reißt Petrarca herunter; u. a. sagt er, ein einziger Brief Ciceros wäre ihm mehr wert, als alle Prosawerke Petrarcas, eine Ekloge Vergils mehr, als alle seine Gedichte. Als er dann gebeten wird, auch etwas zu Petrarcas Gunsten zu sagen, nimmt er ironisch seine früheren Worte zurück und beschließt seine Palinodie mit der scherzhaften Wendung, ein Prosawerk Petrarcas sei ihm teurer als alle Briefe Vergils, ebenso ein Gedicht Petrarcas teurer als alle Gedichte Ciceros.

Doch war schon der bloße Vergleich Petrarcas mit dem Manne, den er schwärmerisch verehrte, eine Ungerechtigkeit gegen jenen: der Kultus Petrarcas vertrug sich ausgezeichnet mit dem Kultus Ciceros, dessen Intensität mit der Zeit eher zu als abnahm. Von Niccoli, der durchaus mehr durch persönlichen Einfluß, als durch seine Schriften wirkte, können wir uns nach der Rolle, die er bei seinem Freunde Bruni spielt, eine Vorstellung machen. Einen zweiten Freund Brunis, Salutati, nennt sein Biograph Villani, auch ein Humanist, geradezu einen Affen Ciceros, womit er ihn nicht etwa herabsetzen, sondern im Gegenteil loben will — „durch seine Prosawerke", sagt er, „hat er solchen Ruhm erworben, daß er mit Fug und Recht der Affe Ciceros genannt werden kann." Traversari mußte als Mönch seine Vorliebe zu Cicero schamhaft verhüllen, doch giebt sie sich gegen seinen Willen durch die Form und den Geist seiner Werke kund, sowie durch die Passion, womit er an Lactanz, dem christlichen Cicero, hängt. Vergerio verteidigte Cicero leidenschaftlich gegen die Angriffe Carlo Malatestas, der ihn einen Advokaten gescholten haben soll. Aber der Hauptverehrer Ciceros war das Haupt dieser Generation, der berühmte Poggio, der sich selbst seinen Schüler nannte und gern alle Schätze der Dogmatik gegen eine neue Rede von ihm hergeben zu wollen erklärte. Einen unglaublichen Skandal brachte die folgende Generation: Lorenzo Valla, ihr künftiges Haupt, schrieb eine Abhandlung, in der er Cicero mit dem (neugefundenen) Quintilian verglich und sich für den letzteren entschied. Mochte auch das Paradoxe des Vergleiches gegen die Aufrichtigkeit des Autors sprechen, mochte Vallas Freund Beccadelli die Abhandlung für eine bloße dialektische Spielerei erklären, mochte Valla selber späterhin durch seine bekannten *Elegantiae* seine Verehrung für den Meister der römischen Prosa bezeugen — vergessen wurde ihm seine 'Lästerung', die den alten Poggio tief empörte, sein Lebtag nicht.

Dieser kurze Überblick möge von dem Ansehen, dessen Cicero unter den Humanisten genoß, Zeugnis ablegen. Wodurch war aber dieses Ansehen begründet? Worin zeigte sich der Einfluß Ciceros auf die Renaissance? Unterscheiden wir auch hier Form, Inhalt und Geist.

In Hinsicht der Form ist der Einfluß so zweifellos, so mächtig, so allgemein, daß darüber kein Wort zu verlieren ist; dafür könnte ein anderer Einwand gemacht werden — daß die Form überhaupt etwas geringwertiges und ihr Kultus etwas krankhaftes sei. Ist doch jüngst die Redekunst für den Fluch Deutschlands erklärt worden, wobei den Autor das Bewußtsein, diesem Fluche entronnen zu sein, erhoben und getröstet haben mag; ist doch von anderer, weit achtungswerterer Seite dem scholastischen Latein als dem kernigeren und präziseren der Vorzug gegeben worden vor dem ciceronianisch-humanistischen. Der Form an sich soll hier das Wort nicht geredet werden; man mag sie herabsetzen wie und wo man mag, nur für die in Rede stehende Periode sollte man ihre Bedeutung nicht unterschätzen. Vergessen wir nicht, daß das Hauptverdienst der Renaissance in der Befreiung der Persönlichkeit bestand: in der Schrift aber ist es die Form, in der sich die Persönlichkeit ausspricht: hier, wie in der gleichzeitigen Malerei, ringt sich der Künstler durch das Schöne zum individuell Charakteristischen durch. Nur wenn er nadelfeine Glasstäbchen verwendet, kann der Mosaikarbeiter ein charakteristisches Menschenantlitz darstellen; nur wenn er über die zartesten Abtönungen der Rede verfügt, wird der Schriftsteller zu einem individuellen Stile gelangen; Goethe, Jean Paul, Kleist können wir an ihrer Sprache erkennen, das Negerdeutsch ist unpersönlich. So war auch das scholastische Latein verwerflich, nicht weil es häſslich, sondern weil es unpersönlich war; Cicero hat die Menschen eine Kunst gelehrt, die sie vordem nicht verstanden hatten: **die Form ihrer Schriften zum Ausdruck ihrer Individualität zu machen**; Petrarca bemerkt mit Stolz, daſs sein Stil bei aller Reinheit nicht ciceronianisch, sondern eben petrarkisch sei. Nur wer das im Auge behält, wird die Empörung begreifen, mit der derselbe Petrarca einen Arzt abfertigte, der die Medizin über die Rhetorik gestellt hatte; „das hieſse", erwiderte er ihm, „die Magd über die Herrin erheben".

Nach der Form der Inhalt; nach dem soeben bemerkten können wir uns hier kurz fassen. Die Frage nach dem Inhalt war für die erste unsrer drei Perioden von entscheidender Bedeutung, sie würde es auch hier sein, wenn der Humanismus eine positive, geschlossene Lehre, ein Denkgehalt und nicht vielmehr eine Denkweise wäre; so aber können wir den scheinbar paradoxen Satz aufstellen: je geringfügiger die unmittelbaren Anleihen der Humanisten bei Cicero gewesen sind, um so gröſser sind seine Verdienste um sie. Nicht dazu hatte die Menschheit Petrus Lombardus mit Cicero vertauscht, um unter neuem Namen die alten Ketten zu schleppen; sie wollte an ihm einen Führer haben, aber keinen Herrn.

Nach dem Inhalt der Geist, d. h. das Verhältnis des Autors zu seinem Gegenstand. Das ist das Gebiet, auf dem die Renaissance den gröſsten Umschlag bewirkt hat, und eben auf diesem Gebiet war Cicero der anerkannte Führer ihrer Vertreter. Natürlich werden wir alle Plato und Aristoteles für gröſser halten als Cicero; und doch läſst sich behaupten, daſs er der Renaissance viel nötiger und nützlicher gewesen ist, als jene beiden. Denken wir uns einmal, sie hätte an jene angeknüpft, statt an ihn: die religiöse Welt wäre um zwei Ketzereien reicher geworden, weiter wäre dabei nichts herausgekommen. Eben das war an Cicero das unersetzliche, daſs er, ohne selbst Schöpfer zu sein, gesund und selbständig über Schöpfer zu urteilen verstand; diese Kunst haben die Männer der Renaissance von ihm gelernt. Gerade der skeptische Teil seiner Philosophie gab dem Geiste der Skepsis Nahrung, daſs er wuchs und gedieh, von der inneren Welt ausgehend die äuſsere eroberte und, indem er überall die Stützen des Hergebrachten prüfte und die morschen ausschied, den Wiederaufbau der Wissenschaft möglich machte. Hier möchte ich zur Bestätigung die Worte eines Mannes anführen, der über die einschlägigen Fragen viel nachgedacht hat und wohl befähigt war, ein Urteil über sie abzugeben: „Wir zischen sie aus, die rohen Scholastiker, die so lange über uns herrschten; aber wir ehren Cicero und alle jene Männer des Altertums, die uns zu denken gelehrt haben." Es sind Worte Voltaires.

So wurde der Persönlichkeit das Pfand des intellektuellen Fortschritts, das Recht der Wahl wiedergewonnen; es ist aber klar, daſs diesem Fortschritt alles förderlich sein muſste, was das Bewuſstsein der Persönlichkeit als solcher steigerte. Von diesem Standpunkte aus war auch die Wiederauffindung des Briefwechsels Ciceros von hervorragender Bedeutung. Bis dahin hatte die Welt nur die unpersönliche Briefform gekannt; bald waren es Traktate, wie bei Seneca, bald Anekdoten, wie bei Plinius, bald Predigten, wie bei Hieronymus, die in Briefform kursierten; der individuelle Brief als Litteraturgattung schien undenkbar; daran konnte auch die Renaissance an sich nichts ändern, wie am besten das Beispiel Petrarcas beweist, der in seinen Briefen durchaus der Weise Senecas folgt. Nun aber wurden durch Petrarca Ciceros Briefe an Atticus gefunden; ein halbes Jahrhundert später fand Salutati seine gemischten Briefe, die *epistulae ad familiares*, wie wir sie nennen; nun stellte es sich heraus, daſs alles, was in und um uns vorgeht, den Gegenstand eines litterarisch vollendeten Briefes abgeben kann. Die Entdeckung wirkte, die Humanisten folgten auch hierin Ciceros Führung und begannen *familiariter* — wie man das nannte — zu schreiben. Das Experiment glückte nicht sofort; das scharfsinnige Paradoxon, daſs sehr viel Kunst dazu gehört, um natürlich zu sein, bewährte sich auch hier. Aber der Enthusiasmus blieb nicht unbelohnt, und der Briefwechsel Poggios mit Niccoli konnte bald als die humanistische Parallele zum Briefwechsel Ciceros mit Atticus gelten. Und das ist doch nur ein Beispiel, wenn auch freilich das glänzendste; die Renaissanceforscher sind darin einig, die Humanistenbriefe für die erquickendsten Denkmäler dieser Periode zu halten, in denen sich ihr Leben am deutlichsten und am reizvollsten zu erkennen giebt; diese Briefe eben verdanken wir einzig und allein dem Führer der Renaissance, Cicero.

6.

Der Renaissance folgte die Reformation; diese hatte die Gegenreformation im Gefolge. Für unsere Frage werfen beide gleich wenig ab.

Es dürfte schwer sein, bei Cicero und den Reformatoren einen gemeinsamen Zug zu finden. Selbst der positive Teil von Ciceros Philosophie muſste in demselben Maſse an Bedeutung verlieren, in dem sich das Ansehen des Glaubens den guten Werken gegenüber hob; was aber den neu erwachten Dogmenstreit anbelangt, so stand Ciceros Urteil über ihn von vornherein fest: *ista sunt ut disputantur*. Auch auf dem von der Renaissance eroberten Gebiet war eine Verständigung nicht möglich. Der Ciceronianismus — wenn wir nach Hieronymus Vorgang und in seinem Sinne den Ausdruck bilden dürfen — war individuell und individualistisch zugleich, und als solcher der rechte Gegensatz zum katholischen Christentum, das in seiner elementaren Unpersönlichkeit keins von beiden war; nun, individuell waren die reformierten Konfessionen auch — sonst hätten wir es nicht mit Hussiten, Lutherischen, Zwinglianern, Calvinisten u. s. w. zu thun —, von ihrem Individualismus aber wissen die Winde zu sagen, welche die Asche von Servets Scheiterhaufen entführt haben.

Um so mehr ist es anzuerkennen, daſs die Reformatoren unsern Helden nicht verwarfen. Wer Luthers Tisch-

reden liest, dem wird die geradezu rührende Wärme auf-
fallen, mit welcher der Redner trotz seiner Aversion gegen
die 'elenden Heiden' von Cicero spricht. Er stellt ihn
viel höher als Aristoteles „in Philosophia und mit Lehren".
„Nachdem Cicero in grofsen Sorgen, im Regiment gesteckt
ist und grofse Bürde, Mühe und Arbeit auf sich gehabt
hat, doch ist er weit überlegen Aristoteli, dem müfsigen
Esel, der Geld und Gut und gute faule Tage genug hatte.
Denn Cicero hat die feinsten und besten Quaestiones in
der Philosophia behandelt: Ob ein Gott sei? Was Gott sei?
Ob er sich auch menschlicher Händel annehme, oder nicht?
und es müsse ein ewig Gemüt sein" u. s. w. Über denselben Punkt heifst es bei anderer Gelegenheit: „Denn das
ist ein sehr gut Argument, das mich oft viel und hoch bewegt hat und mir zu Herzen gegangen ist" — dafs nämlich die Ordnung des Weltalls auf den Ordner hinweist.
Seine Meinung über den Philosophen Cicero überhaupt fafst
er in den Satz zusammen: „Wer die rechtschaffene Philosophia lernen will, der lese Ciceronem". Auch seinen
Briefen ist er gerecht geworden; ihnen gilt sein denk-
würdiges Wort: „die Episteln Ciceronis verstehet Niemand
recht, er sei denn 20 Jahr in einem fürtrefflichen Regiment
gewest" — das heifst, ins bildliche übersetzt: der Lebendige
kann nicht von Toten, sondern nur von Lebendigen verstanden werden. Und nun noch die schönen und herz-
lichen Schlufsworte: „Cicero, ein weiser und fleifsiger Mann,
hat viel gelitten und gethan. Ich hoffe, unser Herr Gott
werde ihm und seines Gleichen gnädig sein. Wiewohl
uns nicht gebührt, das gewifs zu sagen, noch zu definieren
und schliefsen, sondern sollen bei dem Wort, das uns offen-
bart ist, bleiben: Wer gläubet und getauft wird, der wird
selig: dafs aber Gott nicht könnte dispensieren und einen
Unterschied halten unter anderen Heiden und Völkern; da
gebühret uns nicht zu wissen Zeit und Mafse. Denn es
wird ein neuer Himmel und eine neue Erde werden, viel
weiter und breiter, denn sie jetzt ist. Er kann wohl einem
Jeglichen geben nach seinem Gefallen." Gleich Luther gewährte auch Zwingli Cicero Einlafs ins Paradies, aus dem
ihn übrigens Calvin, in jeder Hinsicht der Antipode Ciceros, wieder vertrieben hat.

Dennoch dürfen wir uns durch Luthers und Zwinglis Stellung Cicero gegenüber nicht zu irrigen Vorstellungen verleiten lassen; es ist noch das Abendrot der Renaissance, das in ihren Schriften hier wie sonst einigemal glüht; die Reformation als solche konnte zu dem Weisen der Tusculanen, der ihr halb als Heide und halb als Katholik erscheinen mußte, in kein allzu freundliches Verhältnis treten. Es ist demnach kein Zufall, daß gerade auf dem Boden des protestantischen Deutschlands — sonst aber nirgends — jener bedauernswerte Feldzug gegen Cicero unternommen wurde, dessen äußerer Erfolg seiner inneren Berechtigung so wenig entsprach. Es konnte eben bei der bloßen, vom religiösen Standpunkte diktierten Antipathie nicht bleiben; es ist der menschlichen Natur eigen, nach objektiven Gründen für subjektive Gefühlsthatsachen zu fahnden und auch in dieser Richtung nach einer Art 'Erlösung durch den Schein' zu streben. Und an Gründen konnte es nicht fehlen bei einem Manne, dem ein reichlich Teil von Hoffnungen und Sorgen, Erfolg und Mißlingen zugemessen war; bei gutem Willen konnte man deren viele finden, ihn damit zu belasten — jawohl, zu 'belasten'; die italienische Übersetzung liefert den richtigen Ausdruck: zu 'karikieren'. Die Geschichte der Karikatur Ciceros ist noch zu schreiben; sie verspricht erbaulich zu werden. In die Gegenwart ragen, Quisquilien abgerechnet, zwei Meister herein. Vor dem einen verneigen wir uns; seinen graziösen Fleuretstichen wird auch derjenige seine Bewunderung nicht versagen, der ihnen lieber ein andres Objekt gewünscht hätte. Aber der pöbelhafte Holzkomment Drumanns kann nur Widerwillen und Ekel erregen.

Wie gesagt, ein Zufall ist hier ausgeschlossen; das Schicksal Ciceros hat auch Seneca trotz seines Martyriums geteilt, und auch die Vernachlässigung Epiktets und Marc Aurels bei dem sonst so regen philologischen Leben in Deutschland, sowie die stiefmütterliche Behandlung der Ethik, die den deutschen Philosophen immer neben dem Weg gelegen hat, sind gleichartige, auf dieselbe Ursache zurückgehende Erscheinungen. In jüngster Zeit hat übrigens auch die Ethik in Deutschland einen erfreulichen Aufschwung genommen; im Zusammenhange damit macht sich

auch in der Philologie eine neue, cicerofreundliche Strö-
mung bemerkbar. Möchte ihr Sieg nicht zu spät kommen!

Von der Gegenreformation — um zu ihr überzugehen
— ließ sich von vornherein nicht viel erwarten; sie hielt
ihre Spitze nicht nur gegen die Reformation, sondern auch
gegen die Renaissance gekehrt und konnte naturgemäß
Cicero keine andere Bedeutung beimessen, als diejenige,
die ihm auch die Kirchenväter nicht abstritten. Doch ist
zu betonen, daß beide, die Reformation sowohl wie ihre
Gegnerin, Cicero einen Ehrenplatz in der Schule anwiesen.
Diese Thatsache ist von weittragender Bedeutung. Wenn
sich einmal der Sirenengesang in der Schule hören ließ,
konnte er auf einen etwa heranwachsenden Odysseus eine
Wirkung ausüben, die sich mit der von den Stiftern voraus-
gesehenen und gewünschten nicht eben zu decken brauchte
— wie sie sich beispielsweise in jenen verwegenen Antworten eines Jesuitenzöglings äußerte, die dem hochwürdigen
Prüfungskommissär den Ausruf entpreßt haben sollen: „junger
Mann, Sie werden noch in Frankreich die Fahne des Deismus aufpflanzen!" Bekanntlich war dieser junge Mann Voltaire und begann mit seinem Abiturientenexamen die dritte
der zu betrachtenden großen Eruptionsperioden, die der
Aufklärung, der auf dem Fuße die Revolution folgte.

7.

Eine Vorbemerkung wird hier am Platze sein. Jedermann weiß, daß die französische Aufklärung durch das
Herüberwirken der neuen, speziell englischen Philosophie
und Naturwissenschaft auf die französische Gesellschaft hervorgerufen war; die Bedeutung dieser Thatsache soll hier
nicht im mindesten verdunkelt werden. Es wird jedoch erlaubt sein, auch unsrerseits folgende vier Behauptungen auf-
zustellen: 1) die englische Philosophie, die in den Jesuiten-
schulen aufs strengste verpönt war, hat Voltaire erst viele
Jahre nach seinem Austritt aus dem Collége kennen gelernt; 2) Cicero dagegen wurde bei den Jesuiten sehr eifrig
gelesen; 3) das älteste Denkmal des Deismus waren Ciceros Bücher *de natura deorum* und ihr Anhang, die Bücher
de divinatione; 4) Voltaire hat zeitlebens den Cicero aufs
schwärmerischste verehrt. — Von diesen vier Behauptungen

kann nur die vierte auf einige Neuheit Anspruch erheben;
und da sie gleichzeitig in innigster Beziehung zu unserem
Thema steht, so wollen wir nur sie zum Gegenstande unserer
Betrachtung machen.

Voltaire gedenkt Ciceros oft in seinen Werken, und
immer mit grofser Achtung; man kann sogar sagen, dafs
Cicero zu den wenigen gehört, von denen er nie etwas
schlechtes gesagt hat. Wie sehr er ihm aber ans Herz gewachsen war, hat folgender Vorfall gelehrt. Einer von den
besseren Advokaten seiner Zeit, Linguet, hatte sich bemüfsigt
gefunden bei Gelegenheit einer ganz heterogenen Arbeit
über Cicero herzuziehen. Voltaire liefs es ihm nicht hingehen: mit einer Leidenschaftlichkeit, welche den Aufklärern unserer Zeit ganz merkwürdig erscheinen würde,
nahm er sich des Gekränkten an. „Eben jetzt", ruft er
zornig aus, „wo die Kunst in Frankreich darniederliegt, in
unserem Zeitalter der Paradoxe, das die Litteratur verfallen
läfst und die Philosophie verfolgt — eben jetzt will man
Cicero herunterreifsen!" Nachdem er hierauf in einer kurzen,
begeisterten Skizze das Bild seines staatsmännischen Wirkens
entworfen, fährt er fort: „Und nun vergesse man nicht, dafs
dieses derselbe Römer ist, welcher in Rom der Philosophie
eine Heimstätte gegründet hat; dafs seine Tusculanen, sowie sein Buch von der Natur der Götter die beiden schönsten
Werke sind, welche die menschliche Weisheit jemals verfafst hat; dafs sein Traktat über die Pflichten das nützlichste
Handbuch der Moral ist, das wir besitzen — dann wird
einem erst recht die Lust vergehen, Cicero gering zu schätzen.
Bedauern wir diejenigen, die ihn nicht lesen; bedauern wir
noch mehr diejenigen, die ihm keine Gerechtigkeit wider-
fahren lassen".

Wie bekannt, hat Voltaire als Schriftsteller öfter zu
allerhand Mummenschanz seine Zuflucht nehmen müssen,
um nicht das Opfer irgend einer *lettre de cachet* zu werden.
So hat er seine deistischen Ansichten in der Form von
Briefen des Memmius an Cicero dargelegt, die vom 'Fürsten'
Scheremetjew angeblich in der vatikanischen Bibliothek gefunden und von ihm, Voltaire, aus dem Russischen ins
Französische übersetzt worden wären; diese Briefe sind
deshalb interessant, weil in ihnen der Deismus direkt aus

der Philosophie Ciceros hergeleitet wird. U. a. schreibt
hier Memmius folgendes über die Bücher *de officiis:* „Es
ist ein ausgezeichnetes Werk. Nie wird etwas weiseres,
wahreres und nützlicheres geschrieben werden. Fortan
werden diejenigen, die sich unterfangen werden, die
Menschheit zu unterrichten und durch Vorschriften zu
leiten, Schwindler sein, wenn sie sich über dich werden
erheben wollen; oder aber sie werden alle deine Nachahmer sein". Anderswo kommt Memmius auf Caesar zu
sprechen, dessen Ehrgeiz ihm besorgniserregend erscheint;
er fürchtet, der ungestüme Eroberer könnte Alleinherrschaft
anstreben (die Chronologie darf man nicht zu scharf ansehen). Eins tröstet ihn: die Werke Ciceros werden die
Welt vor dem Despotismus schützen: „Wenn sich die
monarchische Gewalt erst gefestigt hat, darf man wohl
erwarten, dafs sich unter diesen Tyrannen auch einzelne
gute Herrscher werden finden lassen; wenn die Völker an
Gehorsam gewohnt sind, werden diese keine Veranlassung
haben, böse Seiten herauszukehren; wenn sie deine Schriften
lesen, werden sie tugendhaft sein".

Es ist unschwer zu erraten, wem diese letztere An-
spielung galt: der begeisterte Verehrer und Jünger Voltaires,
der Genius des 18. Jahrhunderts, wie er ihn nennt, Friedrich der Grofse, war selbst ein Freund Ciceros. „Nie-
mals hat es auf der Welt einen zweiten Cicero gegeben"
ruft er in einem Briefe an Voltaire aus. „Ich liebe Cicero
unendlich", heifst es anderswo, „ich finde in seinen Tusculanen viele Gefühle, die mit den meinigen verwandt sind".
„Wir, die Akademiker", sagt er gelegentlich, indem er mit
diesem Ausdruck Cicero, Bayle, Voltaire und sich meint.
„Das Buch über die Pflichten ist das beste Werk auf dem
Gebiete der ethischen Philosophie, das jemals geschrieben
worden ist oder geschrieben werden wird". So dachte er
nicht nur während seines Aufenthaltes auf 'Remusberg', wo
Cicero sein bevorzugter Freund und Berater war: viel später,
als König und Feldherr, nahm er die Schriften Ciceros —
so die Tusculanen, die Bücher von der Natur der Götter,
vom höchsten Gut und vom höchsten Übel — mit sich in
den Krieg. Und auch als Regent gedachte er seiner: in
seiner Kabinetsordre vom Jahre 1779 sagt er u. a.: „die

guten Auctores müssen vor allem übersetzet werden ins
Deutsche, als ... der Xenophon, Demosthenes, Sallust,
Tacitus, Livius und vom Cicero alle seine Werke und
Schriften, die sind alle sehr gut".

Doch kehren wir zu Voltaire und seinen litterarischen
Maskeraden zurück. In einem anderen Werke spricht er
von einer angeblichen Gesandtschaft der römischen Republik zum chinesischen Kaiser. Letzterer interessiert sich
für die Religion seiner Gäste; die erzählen ihm von ihrem
Pontificalrecht, von den Augurn, von den heiligen Hühner-
ställen u. s. w., was alles dem Jünger des Confucius den
lebhaftesten Widerwillen gegen die Republik einflöfst. Schon
ist er im Begriff, die Gesandten ungnädig zu entlassen
— da hört er plötzlich: „ein gewisser Cicero, der gröfste
Redner und bedeutendste Philosoph Roms, habe soeben
gegen die Augurn ein kleines Buch unter dem Titel *de
divinatione* erscheinen lassen: in diesem Buche weihe er
auf ewig dem Fluche der Lächerlichkeit alle Auspicien,
alle Prophezeiungen, das ganze Orakelwesen, dessen Dumm-
heit die Erde erfüllt. Der chinesische Kaiser äufsert den
Wunsch diese Schrift Ciceros zu lesen; seine Dolmetscher
übersetzen sie ihm; fortan ist er der Bewunderer des Buches
und der römischen Republik".

Es thut nicht not, die Belege zu häufen; wer an der
Gesinnung Voltaires Cicero gegenüber Zweifel hegen sollte,
den wird seine Tragoedie *Rome sauvée*, zu deren Helden
er Cicero gemacht hat, eines besseren belehren. Auch diese
Tragoedie hatte, wie die oben mitgeteilte Auslassung gegen
Linguet, einen apologetischen Zweck: sie war die poetische
Antwort auf den Crébillon'schen *Catilina*, der eine durchaus
mehr temperament- als einsichtsvolle Verherrlichung des berühmten Verschwörers enthielt. Wahrscheinlich hatte Voltaire ihn zu ernst genommen; die Blague Crébillons ist für
die politische Gesinnung dieses Günstlings der Pompadour
ebensowenig präjudicirlich, wie für gewisse Professoren der
Gegenwart, die durchaus ruhige Bürger und hoffentlich
solide Ehemänner sind, ihre Schwärmerei fürs Raufen und
Saufen, für die Frauen und fürs Hauen u. ä. Aber in
puncto Cicero verstand eben Voltaire keinen Spafs; und
da Voltaire fast mit noch gröfserem Recht als Friedrich

d. Gr. der Genius des 18. Jahrhunderts genannt werden kann, so wird die Frage angemessen erscheinen, **was Cicero ihm und also der Aufklärung überhaupt hat sein können.**

Das Zeitalter der Aufklärung weist neben vielen Zügen, die in ihm eine Fortsetzung der Renaissance erblicken lassen, eine Eigentümlichkeit auf, die es von dieser Epoche aufs schärfste unterscheidet; es ist der Geist der Propaganda. Der Renaissance war diese Neigung fremd: ihre führenden Geister suchten ihr Heil, wie wir gesehn haben, aufserhalb der Masse, in der Einsamkeit oder im Verkehr mit anderen, durch das Band der Freundschaft mit ihnen verbundenen Persönlichkeiten; die Aufklärungsmänner dagegen wenden sich an die Masse. Dort sucht die Persönlichkeit sich von der Masse loszulösen, hier geht ihr Streben dahin, sich die Masse zu unterwerfen. Indem sich jedoch der säkularisierte Gedanke der Aufklärung eroberungslustig an die Masse wendete, fand er die Stelle, wo er sich niederlassen wollte, bereits besetzt; besetzt, wie wir gesehen haben, durch die Religion, die von jeher sowohl die ethischen, als auch die intellektuellen Bedürfnisse der Masse zu befriedigen, und zwar allein zu befriedigen gestrebt hatte. Die Folgen waren unausbleiblich: der Frieden der Persönlichkeit mit der Kirche, der zur Zeit der Renaissance und ihrer französischen Fortsetzer — man denke an Descartes — möglich gewesen war, mufste im Zeitalter der Aufklärung einem erbitterten Kriege weichen.

Von diesem Standpunkte aus — obschon er nur der wichtigste, nicht der einzige ist — werden wir die Bedeutung Ciceros für die Aufklärer leicht begreifen; er war ihnen ein sehr schätzenswerter Bundesgenosse im Kampfe mit der Kirche. Um das zu beweisen und zu erklären, mufs ich mir erlauben, auf die Charakteristik der Philosophie Ciceros zurückzugreifen, die ich oben bei Gelegenheit der Epoche der Ausbreitung des Christentums entwickelt und später bei Gelegenheit der Renaissance andeutungsweise wiederholt habe.

„Seine Philosophie war positiv auf jenem Gebiete, wo jeder Zweifel für den Fortbestand der Gesellschaft verderblich sein mufste — auf dem Gebiete der Moral, deren Forderungen Cicero im Anschluſs an die Stoiker aus der menschlichen Natur herleitet." Dieser positive Teil war, wie wir gesehn haben, der einzige, der für die Schriftsteller des Christentums Wert hatte; auch die Aufklärung übersah ihn nicht, doch hielt sie sich weniger an den Inhalt, als an das Prinzip. Wenn die Gegner der Aufklärung die ethische Bedeutung der Religion betonten und das Christentum für die einzige Quelle der Moral ausgaben, so muſste ein Philosoph sehr gelegen kommen, der, von dem Christentum völlig unberührt, dennoch einer sehr erhabenen Moral das Wort geredet hatte; dem Anhänger der natürlichen Religion war der Verfechter der natürlichen Moral ein willkommener Waffenbruder.

„Skeptisch verhielt sie sich zur Metaphysik; zwar am Dasein Gottes und an der Unsterblichkeit der Seele zweifelt Cicero nicht, im übrigen aber begnügt er sich damit, daſs er im Anschluſs an die neuere Akademie die sich widerstreitenden Meinungen der Reihe nach entwickelt und dem Leser das Recht der Wahl überläſst." Dieses Rechtes haben sich die Männer der Renaissance, wie wir gesehn haben, zum Zwecke der Befreiung der Persönlichkeit bedient; auch die Aufklärer griffen es auf, wenngleich zu anderem Zweck: aus den Büchern *de natura deorum* hat Voltaire ein Wort herausgelesen, das vor ihm niemand beachtet hatte, obgleich es deutlich zu lesen war — das Wort Toleranz. In seinem berühmten Traktat über diesen Gegenstand nimmt er sich der Protestanten an, aber nicht um des Protestantismus Willen — er hat stets Luther gering geschätzt und Calvin gehaſst — sondern eben im Namen jenes Rechtes, das Cicero den Menschen gönnt, während die herrschende Kirche es versagte.

„Negativ war sie endlich dem Übernatürlichen gegenüber". Diesen Zug hatte sowohl das Christentum, als auch die Renaissance übersehen; erst die Aufklärung schenkte ihm Beachtung. Ja noch mehr: die Beweisgründe Ciceros gegen das Übernatürliche wurden in ihrigen Händen zu einer wirksamen Waffe gegen das Wunder, also auch gegen die herrschende Kirche. Diderot erwähnt beifällig den Einwand, mit dem Cicero denjenigen begegnet, die sich auf das Wunder des Attus Navius beriefen; dieser Ein-

wand, sagt er, gilt gegen alle Wunder ohne Ausnahme. In
der That hat Voltaire von ihm den angedeuteten Gebrauch
gemacht; das Rüstzeug, mit dem er gegen die Wunder
der Tradition vorgeht, geht in letzter Linie auf *de divinatione*
zurück.

Damit ist jedoch Ciceros Bedeutung für die Aufklärung
noch nicht erschöpft.

Die Werke Ciceros bestehn aus Traktaten, Briefen
und Reden; in den ersteren haben wir es mit dem Philosophen, in den zweiten mit der Persönlichkeit, in den dritten
mit dem Staatsmann und Redner zu thun. Natürlich ist bei
solchen Unterscheidungen jede Pedanterie fern zu halten:
den Staatsmann Cicero lernen wir auch aus seinen politischen Traktaten *de republica* und *de legibus* kennen, so
dafs diese von unserm Standpunkte aus éine Gruppe mit
den Reden bilden. Nach dieser Vorbemerkung können wir
für die Geschichte Ciceros in der modernen Kultur folgendes Schema entwerfen:

Die Zeit der Ausbreitung des Christentums sah in
Cicero nur den Philosophen, dabei ausschliefslich den
positiven, den Moralphilosophen; für sie hatten nur die
philosophischen Traktate Ciceros eine Bedeutung.

Die Renaissance lernte Cicero auch als Persönlichkeit kennen; für sie war deshalb Ciceros Briefwechsel von
besonderm Wert. Dem Philosophen Cicero gewann sie aber
eine neue Seite ab — den Individualismus, der in
seiner Skepsis lag.

Die Aufklärung endlich entdeckte auch die dritte Seite
der philosophischen Wesenheit Ciceros, die negative,
den Rationalismus; sie war es sodann, welche zuerst den
Staatsmann Cicero, somit seine Reden und politischen
Traktate begriff. Von diesem letzteren Punkte soll hier die
Rede sein.

Jene gewaltige Bewegung, welche den Staat zum An-
griffspunkte hatte und als solche eine der Hauptursachen
der Revolution wurde, ging bekanntlich von Montesquieu
aus: sein *Esprit des lois* hatte einen bestimmenden Einflufs
auf die Konstitution von 1791. Da ist nun zu betonen,
dafs dieses klassische Werk auf einem gründlichen Studium
u. a. auch Ciceros basiert ist, dafs Montesquieu ihn — vorab,

wie es auch begreiflich ist, sein Buch *de legibus* — wiederholt und stets mit gröfster Hochachtung zitiert und auch von
ihm selber eine gute Meinung hatte: „Cicero", sagt er, „ist
meines Erachtens einer der gröfsten Geister aller Zeiten;
seine Seele war immer schön, wenn sie nicht schwach war".
Weiter dürfen wir nicht gehn; für Montesquieu ist Cicero
eine Quelle unter vielen, wenn er ihn auch, wie mir scheint,
mehr als die anderen geliebt hat. Von einem Einflufs
Ciceros auf Montesquieu dürfen wir nicht reden; dazu
war der letztere eine zu selbständige und dabei zu kühle
Natur.

Beide Eigenschaften gingen dem jüngeren und nächst-
bedeutenden Vorläufer der Revolution, M a b l y, durchaus
ab; so wurde er denn zu einem der begeistertsten Cicero-
verehrer aller Zeiten. Seine philosophischen Werke soll er
fast auswendig gewufst haben; seine Zitate aus ihm reifsen
nicht ab; nie erlaubt er sich an ihm zu mäkeln, ja, er
geht so weit, zu gestehen — was Cicero Plato gegenüber
gethan hatte — dafs er ihm lieber einen Irrtum, als anderen eine Wahrheit verdanken möchte. In der Brochure,
wo er vom Studium der Politik (d. h. der Staatswissenschaft)
spricht, empfiehlt er Hobbes, Locke, die alte Geschichte,
warnt vor der neuen (vous trouverez tout dans l'histoire
ancienne; il n'est pas besoin d'étudier les modernes pour
y trouver des sottises, des bévues, des impertinences) und
schliefst mit den Worten: „Wie schade, dafs die Zeit uns
Ciceros Bücher vom Staate vorenthalten hat! Aller Wahr-
scheinlichkeit nach wäre dieses eine Werk, das ein so gewiegter Kenner der Staatswissenschaft über ein so tüchtiges
Volk geschrieben hat, ein ausreichendes Hilfsmittel zu
unserer Ausbildung geworden". — Als sein Hauptwerk haben
wir jedoch dasjenige anzusehen, in welchem er das ganze
erste Stadium der Revolution vorausverkündete, das Werk,
das die konstituierende Versammlung selber als ihr Vorbild anerkannt hat — das Werk „über die Rechte und
Pflichten eines Bürgers"; wir müssen es etwas eingehen-
der betrachten, zumal es uns über das gegenseitige Verhältnis Ciceros und der englischen Philosophie als der
beiden exotischen Faktoren der Aufklärung gar nicht übel
unterrichtet.

Den Inhalt dieses Traktats bildet der Streit darüber,
ob der Bürger den Staatsgesetzen unbedingten Gehorsam
schuldig ist oder nicht. Ein alter, ewiger Streit; schon
Sophokles hatte ihn zum Gegenstand einer seiner schönsten
Tragödien gemacht; in der Neuzeit hatten ihn Grotius,
Hobbes, Pufendorf, Wolf behandelt — doch hatten sie ihn
alle zu Gunsten Kreons entschieden, während Mably ihn
zu Gunsten Antigones entscheidet. Die Untersuchung wird
in Gesprächsform geführt, wie bei Cicero: der Verfasser
spaziert mit Lord Stanhope im Park von Marly, wobei sich
ihr Gespräch allmählich von der umgebenden Natur der
Staatswissenschaft zuwendet — was schon ganz der Ein-
kleidung der Bücher *de legibus* entspricht. Wie durch Zufall läfst einer der Unterredner das Wort „Bürgerpflichten"
fallen; nach der Meinung des Verfassers bestehn diese
darin, dafs wir den Gesetzen gehorchen; der Engländer
bestreitet das, und führt Gründe an, welche des Verfassers
Entsetzen erregen. „Was wird aber dann aus unsern
grundlegenden Gesetzen werden?" fragt er, auf Montesquieu
anspielend. „Das lassen Sie nur ihre Sorge sein", erwidert
der Engländer kühl, „es werden eben andere grundlegende
Gesetze an ihre Stelle treten". — „Aber Ihre Theorie führt
ja zur Anarchie!" — „Und die Ihrige — zur Verewigung
des Übels". Die Unterredner trennen sich; der Franzose
ist erschüttert, aber nicht überzeugt. Nach Hause zurückgekehrt, greift er zu seinem Cicero, schlägt in *de legibus*
nach und findet den Satz: „nichts kann empörender und
zugleich unsinniger sein, als die Gläubigkeit, die alle Beschlüsse der Volksversammlungen und der gesetzgebenden
Gewalten überhaupt für gerecht erklärt. In der That, was
werden wir sagen, wenn es despotische Beschlüsse sind?
Wenn die dreifsig Tyrannen es sich einfallen liefsen, den
Athenern Gesetze zu geben, oder wenn auch alle Athener
an despotischen Gesetzen Gefallen fänden — würden sie
darum gerecht sein? Gerade so gerecht, mein' ich, wie
jenes bei uns durchgegangene Gesetz, auf dessen Grundlage
Sulla seine Proskriptionen ausführte. Es giebt nur e in Recht,
welches die menschliche Gesellschaft verpflichtet, und dieses
Recht ist der Ausflufs eines einzigen Gesetzes; dieses Gesetz aber ist die gewissenhafte Vernunft, die das richtige

gebietet und das unrichtige verbietet. Wer es nicht kennt, der ist ungerecht, mag es nun ein geschriebenes oder ein ungeschriebenes sein." Diese Ausführung stimmt ihn nachdenklich; am folgenden Morgen zeigt er sie Lord Stanhope; der Streit wird erneuert. „Cicero hat Recht", sagt Stanhope, „wenn die Menschen einmal so böse oder so thöricht sind, ungerechte oder unsinnige Gesetze zu erlassen, so möchte ich wissen, welches andere Heilmittel Sie gegen dieses Übel haben, als die Verweigerung des Gehorsams?" Der Franzose muſs die Richtigkeit dieses Schlusses einräumen; damit ist dem Gespräch eine neue Richtung gegeben. Sie wird konsequent weiter und immer weiter verfolgt, wobei der englische Lord seinem Unterredner die dereinstige Einberufung der Generalstaaten voraussagt, den Beschluſs der Abgeordneten, sich nicht eher zu trennen, als bis sie Frankreich eine Konstitution gegeben haben würden, und das übrige, das in dreiſsig Jahren zur Wirklichkeit werden sollte.

8.

Damals war von den Aufklärern kein einziger mehr am Leben; doch waren die Leiter der Bewegung ihre Schüler und Verehrer: an Stelle Mably's war Barnave, an Stelle Montesquieu's Mounier und Tronchet, an Stelle Voltaires Mirabeau getreten. Die Generation der Denker war von der Generation der Redner abgelöst; ihr war es vorbehalten, Cicero den Redner zu entdecken. Wir wollen das an dem bedeutendsten von ihnen beweisen, an Mirabeau.

Als nach der verhängnisvollen *séance royale* vom 23. Juni 1789 Gerüchte von einer 'Verschwörung' des Hofes gegen die Versammlung das Volk aufregten, wurde Mirabeau aufgefordert, es durch eine Rede zu beschwichtigen; für diese Rede war die zur Ruhe mahnende zweite Catilinaria sein Vorbild. Er entnimmt ihr u. a. die berühmte Teilung der Feinde des Vaterlandes in besonders charakterisierte Gruppen, mit dem tröstenden Resultat, daſs die Zahl der wirklich besorgniserregenden Feinde eine verschwindend geringe ist; ebenso entnimmt er ihr die Befriedigung darüber, daſs die Freunde der Ordnung ohne Blutvergieſsen einen entscheidenden Sieg über die Unruhestifter

erkämpft hätten. — Als dann der König seine Truppen
in der Nähe von Paris zu konzentrieren begonnen hatte,
gedachte Mirabeau des Anfangs der Miloniana und führte
den Gedanken aus, wie lästig es für die Versammlung sei,
bei Waffengeklirr ihre Sitzungen zu halten. Indem er sich
bei der Gelegenheit mit einer Rede an den König wandte,
brachte er einige der Ligariana entnommene Beweggründe
an: von der natürlichen Milde des Königs und vom Be-
streben einiger Ungenannter, ihn zu grausamen Entschlie-
fsungen zu veranlassen. Gleich Cicero verteidigt er sich
gegen die Beschuldigung, als mifsbrauche er seinen Einflufs, um über die Versammlung eine Art Herrschaft auszu-
üben (18. Aug. 89); gleich ihm verkleinert er sein Wissen
und sein Können, um seinen Eifer und seine Standhaftig-
keit hervorzuheben (7. Nov. 89). Wichtiger freilich, als diese
Beispiele materieller Anleihen ist seine technische Abhängigkeit von seinem Vorbild, die bei ihm mehr in die Augen
springt als bei irgend einem Redner jener Zeit; leider läfst
sich diese für jeden Kenner der beiden deutliche Abhängigkeit nicht wohl ad oculos demonstrieren. Und wie sehr
er Cicero verehrt hat, davon legt der Schlufs seiner am
19. Apr. 90 gehaltenen Ansprache ein beredtes Zeugnis ab.
In dieser Ansprache forderte er, die Abgeordneten, deren
Mandat demnächst ablief, sollten trotz dieses formellen
Hindernisses in der Kammer bleiben. „Sie alle, meine
Herren" — heifst es da zum Schlusse — „kennen die
Antwort jenes Römers, der, um sein Vaterland von einer
furchtbaren Verschwörung zu retten, die gesetzlichen Grenzen
seiner Vollmachten zu überschreiten genötigt gewesen war.
Ein tückischer Tribun forderte ihn auf zu schwören, dafs
er die Gesetze nicht verletzt habe; er hoffte ihn durch
dieses listige Ansinnen entweder zu einem Meineid oder
zu einem kompromittierenden Bekenntnisse zu zwingen. Da
sagte dieser grofse Mann: 'ich schwöre, dafs ich die Republik gerettet habe.' Auch ich, meine Herren, schwöre,
dafs Sie den Staat gerettet haben!" Ein lauter Beifallssturm
erhob sich nach diesen Worten, und der Antrag wurde
angenommen. — Man vergleiche die Darstellung und Beurteilung des fraglichen Hergangs bei Drumann (V 555 f.),
um sich von der Wahrheit des Satzes zu überzeugen, dafs

der Lebendige nur von Lebendigen, nicht von Toten verstanden werden kann.

Alle diese Männer — Mirabeau und seine Zeitgenossen
— setzten das Werk der Aufklärer fort; daher war es
Mably auch möglich gewesen, das Resultat ihrer Arbeiten
vorauszusehn. Der Aufruf der Persönlichkeit an die Masse
erscholl immer häufiger, nicht mehr aus dem Studierzimmer
der Denker und Schriftsteller, sondern von der Rednerbühne
der Versammlungen und Klubs; die Masse geriet in Bewegung und antwortete so, wie sie nach der natürlichen
Logik der Ereignisse antworten mußte — mit einem Wut-
geschrei gegen die Wohlthäter, die sie zu politischem Leben
geweckt hatten. Aus diesen beiden einander entgegen-
strebenden Bewegungen besteht die französische Revolution:
der Bewegung nach unten, und der Bewegung nach oben;
erst kehrt sich die Persönlichkeit der Masse zu, dann macht
sich die Masse daran, die Persönlichkeit zu verschlingen.
Diese zweite Bewegung, welche zu guterletzt ihre Signatur
der Revolution aufgedrückt hat, ist von den Aufklärern
nicht vorausgesehn worden, obgleich die Möglichkeit dazu
vorhanden war: in ihrer Mitte weilte einer, in dem die In-
stinkte der Masse ihre Verkörperung gefunden hatten, einer,
der zu ihnen all jenen Haß fühlte, den dem Massenmenschen
(wenn der Ausdruck erlaubt ist) die Persönlichkeit einzu-
flößen pflegt — Rousseau. In seinem *Contrat social*, nach-
mals dem Evangelium der Revolution, hat er die Lehre
von dem die Persönlichkeit verschlingenden Staate in eine
leichtfaßliche Formel gebracht; daß er sie nicht ganz folge-
recht entwickelt hat, lag an seinem mangelnden Können.
Er hat zur Losung seines Staates das spätere Feldgeschrei
der Jakobiner, *liberté et égalité* gemacht, wobei er jedoch
vergessen hat, dazuzuschreiben *ceci tuera cela*. Und doch
war es unausbleiblich: die Freiheit, also das Recht der
Wahl, die Forderung der Persönlichkeit, — und die Gleichheit, also die Einheitlichkeit, die Forderung der Masse,
konnten nebeneinander nicht bestehen; und war einmal der
Kampf zwischen ihnen unausbleiblich, so konnte der Sieg
der Masse nicht zweifelhaft sein.

Beherzigt man diesen Standpunkt Rousseaus und dazu
das weitere, von uns mehrfach betonte Faktum, die emi-

nente Bedeutung Ciceros gerade als einer Persönlichkeit, so
wird man es nicht sonderbar finden, daß dieser Mann ihm
antipathisch gewesen ist. Denn so darf man sich die Sache
nicht zurechtlegen, als sei Rousseau der Antike überhaupt
abhold gewesen, wie heutzutage manche Querköpfe und
Heuchler, die sonst zu Rousseau beten. Ganz im Gegenteil:
„Emil", sagt er, „wird die Schriften des Altertums lieber
gewinnen als die unsrigen, schon aus dem Grunde, weil sie
entsprechend ihrem zeitlichen Vorgange der Natur näher
stehen". Nein, ihm war gerade Cicero antipathisch: „Hin-
gerissen von der männlichen Beredsamkeit des Demosthenes, wird Emil sagen: 'das ist ein Redner'; aber beim
Lesen Ciceros wird er sagen: 'das ist ein Advokat'." Die
Antithese darf nur zu keinen weiteren Schlüssen verleiten:
Rousseau kannte die beiden Redner nur aus ihren Spiege-
lungen in den Werken der beleseneren Zeitgenossen, ein-
gesehen hat er weder den einen noch den andern. Aber
ihm war der Trieb der Masse, Persönlichkeiten zu beurteilen und zu verurteilen, ohne sie zu kennen, in hohem
Maße eigen.

So war denn der verhängnisvolle Dualismus der Revolution im Keime bereits zur Zeit der Aufklärer vorhanden;
trotzdem hat ihn niemand beachtet. Zumal Mably war in
dieser Beziehung in einer seltsamen Selbsttäuschung be-
fangen; das Prinzip der Propaganda, d. h. des Aufrufs der
Persönlichkeit an die Masse, findet sich bei ihm am ein-
dringlichsten entwickelt, ohne daß er dessen Folge voraus-
gesehen hätte. Auf den Vorschlag „seine Prinzipien vor
der Masse geheim zu halten und nur die Weisen zum
politischen Reformwerk zu berufen" antwortet Stanhope
„die Wahrheit kann gar nicht zu bekannt, zu verbreitet, zu
trivial sein". Allerdings „befreit er von der Mühe die Gesetze zu kritisieren alle diejenigen, welche sich nur von
einer Art Instinkt leiten lassen und infolge ihrer Unwissenheit keine anderen Führer haben können, als die Autorität,
die Gewohnheit und das Beispiel", indem er sehr richtig
hinzufügt, „ohne Zweifel hätte Cicero ihnen gegenüber die
gleiche Nachsicht walten lassen"; ob sich aber die also gekennzeichnete Panurg-Herde diese Nachsicht auch gefallen
lassen würde, darnach fragte er nicht. Auch die Redner

der konstituierenden Versammlung waren nicht weitsichtiger; sie freuten sich über die Bewegung der Masse, ohne das Unheil zu ahnen, das infolge dieser Bewegung auch über sie einbrechen sollte.

Gehen wir einen Schritt weiter. Die Constituante löste sich auf, nachdem sie Frankreich eine totgeborene Verfassung gegeben hatte; während der wilden politischen Stürme, welche der mifslungene Fluchtversuch des Königs entfesselt hatte, fanden die Neuwahlen statt; so erschienen die Girondisten auf der Oberfläche, dieser leichte und glänzende Schaum des wogenden Meeres der Masse. Von ihnen ging ein neuer, republikanischer Hauch aus, dank welchem auch Cicero eine neue Seite abgewonnen wurde: man sah in ihm fortan nicht nur den Theoretiker auf dem Gebiete der Politik, nicht nur den Redner, sondern vor allem den Staatsmann der Republik. Seinem Ansehen konnte das nur förderlich sein. In der That wissen wir, dass für die verschiedenen Schattierungen der Republikaner, die von nun an um die Herrschaft streiten, die ganze Weltgeschichte von Cäsar bis zum letzten Ludwig einfach nicht vorhanden war; „seit der Römerzeit ist die Welt leer", sagte St. Just (2 germ. 94). Sie setzten das Werk fort, welches mit der Vertreibung der Tarquinier begonnen hatte und durch die Usurpation Cäsars unterbrochen worden war; ihre Helden waren daher der ältere Brutus, der die Tarquinier vertrieben hatte, und Cicero, der mit wechselndem Erfolge allen Usurpatoren seiner Zeit, Sulla, Catilina, Cäsar und Antonius die Stirn geboten hatte. Dabei ist trotz aller Verstöfse im einzelnen doch der sichere politisch-historische Takt dieser Männer anzuerkennen: nie haben sie sich bei all ihrer Vorliebe für Aufruhr und Meuterei dazu verstehn können, den Empörer Catilina als den ihrigen anzuerkennen und für ihn gegen Cicero Partei zu nehmen. — Aber so grofs auch die Popularität Ciceros in jener Zeit war — sein Einflufs war kein persönlicher; die Bewunderung galt dem hervorragenden Staatsmann der römischen Republik, und Cicero hatte sich in sie mit anderen Römern zu teilen. Alles römische war Mode, die Worte *ainsi faisaient les Romains* gehörten in den Versammlungen und Klubs zu den gewöhnlichsten Redefloskeln, wobei nicht verschwiegen

4 *

werden darf, daſs sie meist übel angebracht waren:
wurde doch auch die Guillotine den Franzosen als eine
römische Erfindung angepriesen. Speziell bei den Girondisten finden wir die Heroen des Todeskampfs der römischen Republik (natürlich nur die verfassungstreuen)
recht hübsch beisammen: da ist der jüngere Brutus —
das ist Brissot; der jüngere Cato — Roland; Marcia —
Frau Roland; was Cicero anbelangt, so spielte ihn natürlich der Hauptredner der Partei, Vergniaud. Abseits steht
der Philosoph der Partei, der ihre römisch-republikanische
Schwärmerei nicht mitmachte und Cicero prinzipiell abhold sein muſste, Condorcet. Als echter Mathematiker
hatte er sich die Fortschrittsidee in der Form einer geo-
metrischen Reihe faſslich gemacht; sie war ihm so etwas
wie das Binom Newtons, bei dem der Exponent des ersten
Gliedes, hier *superstition* genannt, sich stetig verringert,
während der Exponent des zweiten Teiles, *raison* genannt, stetig wächst; daſs in dieser Formel 'die Persönlichkeit nur als Turbante auftreten konnte, versteht sich
von selbst.

Steigen wir eine Stufe tiefer, so finden wir die Dantonisten. Danton selber, eine der ausgeprägtesten Persönlichkeiten seiner Zeit, war durch seine mangelhafte Bildung daran verhindert, Cicero gut zu kennen; immerhin
war er bestrebt, diese Lücke auszufüllen, wie die Bibliothek
römischer Autoren in seinem Nachlasse beweist, die nach
seiner Hinrichtung zum Verkaufe kam. Dafür war sein
Freund, der verwegene Camille Desmoulins, ein begei-
sterter Verehrer Ciceros, obgleich ein natürlicher Fehler
ihm nicht erlaubte, seine stürmische Redekunst anders als
in Form von Pamphleten an den Mann zu bringen. Er
hatte eine gute klassische Bildung erhalten und wählte sich
während der ersten, aggressiven Periode seiner Thätigkeit
ebensosehr Cicero zum Vorbild, wie er während der zweiten,
wo er sich gegen den Despotismus Robespierres verteidigt,
Tacitus folgt. Hier eine Probe. Bekannt sind die Worte
Ciceros aus der Rosciana (56): „Wir halten Hunde auf dem
Kapitol der Diebesgefahr wegen. Den Dieb ansehen können
sie dem Menschen nicht; sie bellen überhaupt, wenn zur
Nachtzeit jemand das Kapitol betritt, da dies jedenfalls

verdachterregend ist. In derselben Lage befinden sich die
öffentlichen Ankläger." Desmoulins variierte sie in einem
seiner gelesensten Pamphlete folgendermafsen: „Um uns ist
es Nacht; daher ist er notwendig, dafs die treuen Hunde
auch die harmlosen Passanten mit Gebell empfangen, damit
wir die Diebe nicht zu fürchten brauchen". Die Variation
gefiel; das Wort *aboyeur* wurde ein technischer Ausdruck
für die Sykophanten der Schreckenszeit.

Noch eine Stufe tiefer — und wir finden das weite,
wilde Meer der Masse, die Marat, Hébert, Henriot u. s. w.
An ihnen ist Cicero zum Glück vollkommen unschuldig,
wenn auch sein Name ihnen durchaus bekannt und vertraut
ist. Es konnte nicht anders sein; die Anschauungen der
obern Schicht sickerten bis zur untersten durch, und es
braucht uns nicht wunder zu nehmen, wenn alle Figuranten
der Revolution bis hinunter zum Père Duchêne mit den
Namen Cicero und Catilina ihre Brandreden zieren; hätten
sie wirklich eine Seite von ihm gelesen, so hätten sie ihn
zu einer Karikatur für die Laterne verwendet.

Eigentümlich ist die Stellung Robespierres. Die
Haupttriebfeder dieses ehrgeizigen Advokaten war der Hafs
gegen alle, die ihn verdunkelten. Dieser Hafs warf ihn
der Masse in die Arme, während er sich über sie zu erheben und sie zu beherrschen trachtete. Daher seine Zwie-
spältigkeit. Während er einerseits der Masse zu gefallen den
contrat social ausbeutete, um mit ihrer Hilfe die Gemässigten,
die Girondisten, die Dantonisten zu vernichten, versäumte
er andererseits nicht den Cicero zu studieren, um der Fähigkeit, der Masse zu gebieten, nicht verlustig zu gehen. Diese
Fähigkeit war nämlich mit der Redefähigkeit eins; letztere
war ohne das Studium guter Vorbilder gar nicht denkbar;
und andere Vorbilder als Cicero gab es damals nicht —
die Franzosen selber sehn ja in den Rednern der drei
revolutionären Versammlungen die Väter ihrer Beredsamkeit. Nun hat ja freilich der Schüler dem Meister keine
Ehre gemacht; gleich vielen anderen hat Robespierre
seinem Vorbild nur den Schwung der Perioden abge-
lauscht, mafslos und unzulänglich zugleich. Aber, was er
erreichen wollte, das hat er doch erreicht; eine Probe soll
das lehren.

Wie oben bemerkt wurde, ist Vergniaud der Cicero
der Gironde gewesen; ein Monopol gab es jedoch in dieser
Hinsicht nicht, und so war es ein anderes, weniger be-
kanntes Parteimitglied, das in der denkwürdigen Konventsitzung vom 29. Okt. 1792 den Cicero spielte, nämlich
Louvet; seiner feurigen Rede hat die Marcia der Partei
selber den Namen einer catilinarischen gegeben. Der angeklagte Catilina war kein anderer als Robespierre, und
die Anklage war sehr ernst: es handelte sich um eine Verschwörung (wie in Rom) gegen den Konvent (wie in Rom
gegen den Senat) in geheimem Einverständnis mit Danton
(wie in Rom mit Cäsar), wobei Mord, Raub, Brandstiftung
etc. als Mittel dienen sollten (wie in Rom). Das Ganze
war etwas phantastisch und es unterliegt keinem Zweifel,
daſs Cicero die Einbildungskraft seines Nachfahren auch
materiell beeinfluſst hat. Robespierre war kein Improvisator;
er bat um eine Woche Präparationszeit, während der er
seine Verteidigung ausarbeitete. Daſs er dabei gewissenhaft
den Cicero studierte, meldet die Geschichte nicht, ist aber
trotzdem gewiſs; wir können sogar sein unmittelbares Vorbild angeben — es muſs die Rede für P. Sulla, den Neffen
des Diktators, gewesen sein. Diese Rede enthält nämlich
eine gröſsere Einlage, welche der Selbstverteidigung des
Redners gewidmet ist; die Beschuldigungen, gegen die sich
Cicero hier verteidigt, sind erstens die angeblich widerrecht-
liche Hinrichtung der Catilinarier und zweitens sein angeb-
liches Streben nach Alleinherrschaft; und das war es eben,
was Robespierre brauchte. Den ersten Punkt betreffend
sagt Cicero mit Recht: „der Staat hat sie getötet, um nicht
von ihren Händen zu sterben"; denselben Gedanken führt
Robespierre aus, um die scheuſslichen Septembermorde zu
rechtfertigen. Den zweiten Punkt betreffend läſst er sich
so hinreiſsen, daſs er sich bereits nicht mehr in Paris,
sondern in Rom sieht, „hört auf", sagt er, „vor meinen
Augen den blutigen Tyrannenmantel zu schütteln, sonst
werde ich glauben müssen, daſs ihr Rom in Ketten schlagen
wollt!" — eine Redefloskel, die ihm jubelnden Beifall ein-
getragen hat.* Überhaupt lebt er ganz im Jahre 62 vor
Christo, dem Jahre der Rede für P. Sulla; er beruft sich
auf Cato, den man mit Steinen beworfen habe, gerade als

er den freiheitsfeindlichen Umtrieben der Pompejaner ent-
gegentrat; er beruft sich auf Cicero, der den hinterlistigen
Tribun mit der stolzen Erklärung entwaffnet, dafs er Rom
gerettet habe. Den Tribun nennt er freilich Clodius, während
er Metellus Nepos hiefs; ein verzeihlicher Irrtum, wenn man
bedenkt, dafs die Sullana seinen Namen überhaupt nicht
angiebt. — Bekanntlich hat Cicero diesmal seinen Nachahmer gerettet; die Thermidortage waren noch fern.

Das ist nur eine Probe; sie bietet nichts, was uns über-
raschen könnte. Nicht mit Unrecht heifst es, die französische Revolution hätten die Advokaten gemacht; da sie
als solche sich an Cicero herangebildet hatten, so suchten
sie ganz natürlich bei ihm Rat und Hilfe in der Not —
zumal es in der That, wie oben bemerkt worden ist, andere
Vorbilder nicht gab. Bossuet — der seinerseits, beiläufig
gesagt, in seinen Leichenreden die Pompejana ergiebig aus-
beutet — konnte begreiflicherweise den Revolutionsmännern
nichts bieten; eine politische Beredsamkeit aber besafs
Frankreich vor der Revolution nicht. Es konnte auch nicht
anders sein: die Generalstaaten wurden seit der Mitte des
17. Jahrhunderts nicht mehr einberufen; die Versammlungen
aber des Klerus, sowie die Provinzialstaaten, die fast ausschliefslich über die Steuern beratschlagten, konnten der
Beredsamkeit keine Nahrung bieten. So wurde denn natur-
gemäfs der Anschlufs an Cicero gesucht und gefunden; dabei war ein gewisses Übermafs bei den Nachahmern unausbleiblich. Dieser Vorwurf trifft übrigens nicht so sehr
die selbständigen Talente, wie Mirabeau, als die minder-
begabten, Robespierre, St. Just und andere. Robespierre
zumal konnte seinen leidenschaftlichen Wunsch, dem Redner
der römischen Republik gleichzukommen, so wenig verheim-
lichen, dafs seine Feinde sich ihn zu nutze machten. So
gab die Satire der Strafse dem gefürchteten Tyrannen den
spöttischen Rat, die Spuren des 'Fanatismus' in seinem
Namen zu tilgen und sich statt Maximilian lieber Cicero zu
nennen; die Vierzeile ist uns noch erhalten:

> Chénier s'appellera Voltaire,
> Fauchet l'évêque Massillon,
> D'Églantine sera Molière,
> Et Robespierre Cicéron.

Aber die Chanson galt in Frankreich schon seit Mazarini's
Zeiten für ein unschädliches Sicherheitsventil; schmerzhafter
war der Streich, der den ehrgeizigen Redner im Konvente
traf. Guadet war es, der in der Einleitung seiner feurigen
Verteidigungsrede, die er am 12. Apr. 1793 für seine Partei-
genossen, die Girondisten, gehalten hat, eine für Robespierre
höchst kränkende Parallele zwischen ihm und seinem Vorbilde zog. „ . . . Aber Cicero", heißt es dort, „war ein
Ehrenmann; er brachte keine ungerechtfertigten Beschuldigungen vor; Ciceros Art war es nicht, die Unwissenheit der
Menge als Fundament für seine egoistischen Unternehmungen
zu benützen; seine Art war es nicht, der Popularität nach-
zujagen, um sich mit ihrer Hilfe der Republik zu bemäch-
tigen . . . Doch genug davon: was könnte es auch
gemeinsames geben zwischen einem Cicero und einem
Robespierre!"

Aber mochten auch Robespierre und die seinen noch
unselbständige Nachahmer Ciceros sein: schon in der
nächsten Generation mußten sich die Sachen bessern. Im
allgemeinen hat es Frankreich nicht zu bereuen gehabt,
daß es in jener Zeit willig zu Cicero in die Lehre gegangen ist; dank diesen Lehrjahren nimmt es jetzt auf
dem Gebiete der Beredsamkeit den ersten Rang ein unter
den Völkern der zivilisierten Welt. Das ist nun freilich
ein zweifelhafter Vorzug in den Augen derer, denen die
Kunst der Rede überhaupt ein Fluch ist; anderer Meinung
war Voltaire, mit dessen herrlichen Versen über die Redekunst wir, zumal sie sich unmittelbar auf Cicero beziehn,
diesen Abschnitt passend beschließen können. Sie stehn
in einem Briefe an den Kronprinzen Friedrich nach 'Remusberg'. Remusberg! klassische Erinnerungen sind zwar immer
schön, aber warum mußte gerade der schemenhafte Remus
dem Horste des jungen Adlers seinen Namen geben? Da
hätten andere die Ehre eher verdient, deren Schatten ihn
als gute Schutzgeister umschwebten:

> Cicéron dans l'exil y porta l'éloquence,
> Ce grand art des Romains, cette auguste science
> D'embellir la raison, de forcer les esprits.

9.

So waren es denn die Redner der drei revolutionären Versammlungen, die für Frankreich den Redner Cicero entdeckten. In England war es, den günstigeren politischen Bedingungen gemäfs, schon früher geschehn; was Deutschland anbelangt, so war es während der französischen Aufklärung damit beschäftigt, einen noch viel köstlicheren Schatz zu heben, die hellenische Poesie; — für den Redner Cicero hafte es keine Zeit, und so ist er dort bis auf den heutigen Tag unentdeckt geblieben. Noch ist es allenthalben — von den Karikaturisten sehen wir ab — der Augenwinkel der Humanisten und Melanchthons, unter dem Cicero angesehen wird; von dem Fortschritt, über den in unseren beiden letzten Abschnitten zu berichten war, ist kaum etwas zu spüren.

Wir kehren zu Frankreich zurück. Welche Bedeutung die Reden Ciceros als Denkmäler der Redekunst für ihre Entdecker hatten, haben wir oben gesehen: die zweite besteht darin, dafs sie unsere fast einzige, dafür aber sehr reichhaltige Quelle über die Gerichtsverfassung der römischen Republik darstellen. Diese Thatsache sichert ihnen nicht nur ein hohes wissenschaftliches Interesse, sondern auch — und deshalb gehört sie in diesen Zusammenhang — eine hervorragende kulturhistorische Bedeutung. Das mag uns seltsam dünken, uns, die wir in der Atmosphäre des Rechtes und der Gesetzlichkeit aufgewachsen sind; des besseren Verständnisses wegen mögen hier zwei Zitate ihren Platz finden.

Hier das eine: über die Gerichte der ciceronianischen Epoche. Horaz der Vater giebt seinem Sohn Unterricht in der Moral nach lebendigen Vorbildern: „ . . . riet er mir jedoch so oder so zu handeln, so sagte er: hier hast du einen Mann, dessen Autorität du folgen kannst — indem er mich auf einen der 'ausgewählten Richter' hinwies" (selecti judices).

Hier das zweite: über die französischen Gerichte vor der Revolution. „Insgemein war es nicht der Verurteilte, den man für schuldig hielt, sondern der Richter; eine Flut von Verwünschungen ergofs sich über ihn. Die Geschichte meldet

uns von vielen Beispielen jener blinden Wehleidigkeit, welche
das Volk jede Achtung, jede Scheu verlieren ließ, so daß
es statt der Verbrecher die Diener der Gerechtigkeit selber
räderte oder verbrannte".

So stand es mit dem Ansehen des Richterstandes und
der Popularität der Strafgerichte im ersten vorchristlichen
und im achtzehnten nachchristlichen Jahrhundert; den Grund
können wir nur in der Gerichtsverfassung selber suchen.
Die Zeit der letzten Ludwige kannte nur das geheime Gericht; Geschworene gab es nicht; der Angeklagte wurde
sofort der Gegenstand des Verfahrens, wobei alle Mittel,
ihn zum Geständnis zu zwingen — auch die Folter nicht
ausgeschlossen — für erlaubt galten. Sein Verteidiger
wurde zu ihm nicht zugelassen, überhaupt waren die
Rechte der Verteidigung auf ein Minimum beschränkt; und
doch waren die Opfer dieser Gerichte noch glücklich zu
nennen, im Vergleich mit jenen, die man ohne jedes
Strafverfahren auf eine bloße *lettre de cachet* hin ins Ge-
fängnis warf.

Nun müssen wir bedenken, daß die Advokaten, welche
die französische Revolution 'gemacht' haben, den Cicero
gelesen hatten und noch zu lesen pflegten; wenn wir uns
in ihre Lage recht lebhaft hineinversetzen, werden wir auch
die Gefühle nachempfinden können, mit denen sie folgende
Stellen aus seinen Reden aufgenommen haben müssen: ,,Ich
weiß wohl, ihr Richter, daß ich die Verteidigung eines von
der öffentlichen Meinung bereits Verurteilten übernommen
habe; wenn es aber die Götter gestatten, daß ihr mich
wohlgesinnt anhört, so werdet ihr sehen, daß, gleichwie
ein böser Leumund für den Menschen das schrecklichste
der Übel ist, ebenso sehr ein unparteiisches Gericht für
ihn den einzig wünschenswerten Rettungsweg darstellt".
,,Wenn auch meine Rede euch schärfer und rücksichts-
loser, als die Reden meiner Mitverteidiger erscheint —
dennoch bitte ich euch, ihr mit all jener Nachsicht zu begegnen, deren ihr ein gekränktes Freundschaftsgefühl und
einen gerechten Zorn würdig erachten müßt". ,,Darf ein
Richter die Aussagen der Zeugen verwerfen? Er darf es
nicht nur, er muß es, wenn die Zeugen parteiisch, wenn
sie gegen den Angeklagten eingenommen sind, wenn sie

mit dem Ankläger unter einer Decke spielen, wenn sie
vor dem Eid keine Achtung empfinden". „Auf euere
Rechtschaffenheit und Weisheit bauend, habe ich eine
gröfsere Bürde auf mich geladen, als meine Kräfte es mir
erlaubten; wenn ihr mir zu Hilfe kommt, ihr Richter, so
werde ich sie mit Eifer und Bereitwilligkeit tragen" (diese
magnifique expression de l'orateur de Rome zitiert de Sèze
in seiner Verteidigungsrede für Ludwig XVI. am 26. Dez.
1792; es ist nicht sein einziges Zitat aus Cicero). „Um
eins bitte ich euch: wenn ihr dem Gange meiner Beweis-
führung folgt — ruft nicht bei jedem einzelnen Punkte
der Verteidigung in eurem Geiste die dagegensprechen-
den Instanzen hervor; lafst mich den Plan meiner Rede
einhalten und wartet mein Schlufswort ab, um dann die
Frage aufzuwerfen, ob ich etwas Wesentliches aufser Acht
gelassen habe". „Heute ist der Tag, an dem ihr dem
Angeklagten das Urteil sprechen werdet, das römische
Volk aber — euch" . . . . Mit welchen Gefühlen, frage
ich abermals, mögen die kleinlauten, stets gedemütigten
Advokaten der französischen Inquisitionsgerichte diese
stolzen und freimütigen Apostrophen ihres römischen Kollegen gelesen haben! Sie zeugten von der längst ver-
gangenen Würde und Herrlichkeit der Verteidigung und
des Rechtsverfahrens überhaupt; sie gaben die beständige
Veranlassung, das Jetzt mit dem Einst zu vergleichen;
sie liefsen hinter dem Dunst und Nebel einer trostlosen
Wirklichkeit das leuchtende Bild des echten, alten Ge-
richtes hervortreten.

Und nun erwäge man, dafs eben die Revolutionszeit
die Zeit der Gerichtsreform gewesen ist, die Revolution
aber von den Advokaten 'gemacht' wurde; man erwäge
ferner, dafs das erste Opfer der Revolution das Bollwerk
der entarteten Justiz, die Bastille, gewesen ist; man erwäge endlich, dafs das französische Schwurgericht (und
somit das kontinentale Schwurgericht überhaupt) in drei
höchst wichtigen Punkten — die Beschlufsfassung durch
Stimmenmehrheit, die Entscheidung über die Rechtsfrage
und die Theorie der freien Beweiswürdigung betreffend —
von seinem unmittelbaren Vorbild abgewichen und zu den
Traditionen des römisch-republikanischen Schwurgerichtes

— d. h. zu Cicero, als seiner einzigen Quelle — zurückgekehrt ist.

Doch sind es nicht nur solche Indicien, die von einem
moralischen Anteil Ciceros an der Gerichtsreform von 1790
reden: wie bekannt, war es abermals der Genius und das
Gewissen des achtzehnten Jahrhunderts, war es Voltaire,
der die Reformbewegung einleitete; war es doch die be-
rüchtigte Affaire Calas, welche die ganze Verrottung des
alten Inquisitionsprozesses zeigte und somit den Anstofs zur
Reformbewegung gab — nicht umsonst war während der
Reformverhandlungen in der Constituante der Name Calas
in aller Munde. Nun hat Voltaire freilich bei seiner Ein-
mischung in diese furchtbare Tragödie mehr die ethische
Seite ins Auge gefafst — sie hat seine schönste litterarische
That, den berühmten *traité sur la tolérance* hervorgerufen
— aber auch die juridische ging nicht leer aus. „Bei den
Römern", sagt er, „wurden die Zeugen öffentlich verhört,
in Gegenwart des Angeklagten, der ihnen zu antworten, sie
einem Kreuzverhör zu unterwerfen — entweder in eigener
Person oder durch seinen Verteidiger — berechtigt war.
Das war eine edle, eine freimütige, eine der römischen
Hochherzigkeit würdige Bestimmung. Bei uns geschieht alles
heimlich; es ist der Richter allein, der mit seinem Sekretär
die Zeugen verhört". „Warum", fragt er anderswo, „warum geht die Beweisaufnahme bei uns in der gröfsten
Heimlichkeit vor sich, während doch die Urteilsverkündi-
gung öffentlich ist? Warum durften in Rom, der Heimat
unseres Rechtes, die Strafprozesse bei hellem Tageslichte
stattfinden, während sie bei uns in den Schleier der Nacht
gehüllt werden?" Anderswo spricht er von einer der nied-
lichsten Blüten des Inquisitionsprozesses, dem sog. *Appell
a minima* (d. h. dem Antrag auf Strafverschärfung nach ge-
fälltem Urteil) „Das ist ein kannibalisches Institut, das den
Römern unbekannt gewesen ist".

Das waren die Kräfte, die dreifsig Jahre lang am
uralten Felsblock, Inquisitionsgericht genannt, gewühlt und
gespült haben, bis sie ihn endlich 1790 zu· Falle brachten;
als er fiel, da hat sich von ihm eine Woge erhoben, die
in langsamem Fortschritt den ganzen Kontinent bis ins
ferne Sibirien hinein überflutete. Und wenn der friedliche

Bürger heutzutage zu Gott nicht mehr zu beten braucht,
dafs er ihn aufser den vier Plagen der Litanei, Pest,
Feuer, Hunger und Krieg, auch noch vorm Gerichte be-
wahre — so ist es für ihn nur recht und billig, zu Zeiten
des guten Geistes dankbar zu gedenken, der auch dieses
Gespenst hat bannen helfen.

*   *   *

Wem es vergönnt gewesen ist, auf einer jener Strafsen
zu wandern, die seit uralter Zeit zu den Verkehrsadern der
Menschheit zählen — ich meine die Strafsen, die von der
lombardischen Ebene nord- und westwärts durchs Alpen-
land führen —, dem wird der Eindruck unvergefslich bleiben:
es wird ihm sein, als habe er den Herzschlag der Weltgeschichte unmittelbar gespürt. In der That haben alle
Zeiten hier ihre Erinnerungen zurückgelassen: bald ist es
eine römische Warte, die von den Kriegen Marc Aurels
zeugt, bald eine Ritterburg, die uns der Welschlandsfahrt
eines Hohenstaufen gedenken heifst; diese Klamm hier weifs
von Hannibal, diese Thalsperre — von Napoleon, diese
Brücke — von Suworow zu erzählen; diesen See hat ein
Epigramm Catulls, diesen Grund eine Terzine Dantes, diese
Aussicht ein Tagebuchblatt Goethes verherrlicht; an diesen
Fels hat sich, einem verflogenen Vogel gleich, die Erinne-
rung an Tristans und Isoldens unglückliche Liebe geheftet.
— Ähnlich sind die Empfindungen, die auf den geschichts-
kundigen Leser Ciceros einstürmen, und diese Empfindungen allein reichen hin, ihm — selbst wenn die Karikaturisten mit allem, was sie über seinen objektiven Wert
gesprochen, Recht hätten — einen Affektionswert ohne
Gleichen zu verleihen. Diesen Ausspruch hat Hieronymus seinem Traumgelübde zum Trotz in sein Herz ge-
schlossen; mit diesem hat Diderot den 'Aberglauben'
seiner Nachfahren aus den Angeln zu heben gesucht. Dieser
Gedanke hat Petrarca entzückt; dieser hat Luther in
seinen quälenden Zweifeln „viel und hoch bewegt". Hier
ist die Perle, die Bossuet in das Gold seines Stiles gefafst
hat; hier der blanke Stahl, aus dem sich ein Jakobiner
seinen Dolch geschmiedet hat. Dieser Satz hat den schönen

Verehrerinnen des Patriarchen von Ferney ein feines Welt-
damenlächeln abgewonnen; dieser hat die terrorisirten
Richter Ludwigs XVI. zu Thränen gerührt. Es ist, wir wieder-
holen es, ein eigenartiger, unvergefslicher Genufs; aber freilich, einige Anstrengung darf man nicht scheuen, und dafs
es sich anderswo bequemer spazieren läfst, als auf den
Römerstrassen, soll nicht in Abrede gestellt werden.

Suchen wir noch, ehe wir scheiden, die Aussicht auf
die durchmessene Bahn festzuhalten, die uns die erreichte
Höhe gewährt. Es ist ein gar wundersames Schauspiel; wir
sehn — und hier ist Cicero nur ein Beispiel unter vielen
— wie sich mit jeder höheren Kulturstufe auch der Blick
für die Antike erweitert und vertieft, wie sich ihr Wert
von Kulturperiode zu Kulturperiode steigert. Ich darf hier
wohl an die zusammenfassende Übersicht erinnern, die ich
oben (S. 44) gegeben habe; sie beweist, dafs die Antike
nie ausstudiert werden wird, weil sich mit der Vervollkomm-
nung unserer Kultur auch ihre Bedeutung für uns verinner-
licht und vermehrt.

Wie aber — könnte man nun sagen — läfst sich die
also gewonnene Einsicht mit der Fortschrittsidee vereinigen?
Wären wir nur über die letztere einig! Mit dem Condorcet-
schen Kulturbinom wären wir ja wohl fertig; dafür ist es
die Schachtelhalmkultur modernster Zeitungschreiber, die
uns Gedanken macht. Sie ist ja so einfach und setzt einen
so einfachen, d. h. niederen Organismus voraus: Schachtel
sitzt auf Schachtel, jede für sich abgeschlossen und zum
Herausnehmen eingerichtet. Wir dürfen es den Betrügern
und ihren Opfern überlassen, sich an diesem Zerrbild der
Kultur zu weiden; sollen wir uns ein Bild von ihr machen,
so sei es die höchste und vollkommenste Vertreterin des
Pflanzenreiches, die langlebige Eiche oder Linde, welche
das dereinstmals einzige Reis der einjährigen Staude bis
zuletzt aufbewahrt, als den ältesten, festesten und innersten
Ring des vielhundertjährigen Baumes.

Anmerkungen und Exkurse.

Zu § 1.

Die Belegstellen zu dem kurzen Lebensabrisse einzeln vorzuführen glaubte ich mir ersparen zu dürfen, da sie jeder mit Benützung der bekannten Hülfsbücher leicht finden kann. Die Beurteilung des Ganzen betreffend erlaube ich mir nachdrücklichst auf das einleitende Bild zu verweisen; wer die Aufnahme einer Landschaft deshalb für ungenau erklärt, weil er auf ihr ein wohlbekanntes Maulwurfsloch vermißt, dem muß man sein Vergnügen lassen.

(S. 3 M.) „Grundsätze des Scipionenkreises". Der Einfluß des anerzogenen Staatsideals auf C.s politische Wirksamkeit ist bisher von seinen Biographen vollständig verkannt worden: wäre dieser Faktor, wie es Vernunft und Gerechtigkeit verlangen, zum Ausgangspunkte bei der Darstellung seines Lebens gemacht worden — manches schiefe Urteil wäre unausgesprochen geblieben; allerdings wäre es aber für die Biographen um manche schöne Gelegenheit geschehn, das reine Wasser ihrer Gesinnung leuchten zu lassen. Ich muß mich hier auf Andeutungen beschränken. Also: 1) C. ist mit einem in der Hauptsache fertigen Programm ins politische Leben getreten: das ist die direkte Folge jeder römischen Erziehung. — 2) Dieses Programm konnte nur das scipionische sein: dafür bürgt a) die philhellenische Gesinnung seines Vaters sowie seiner gratidianischen Verwandtschaft, 2) der Umstand, daß seine Erziehung von den Ausläufern des Scipionenkreises, den beiden Scaevola und dem Redner Crassus, geleitet wurde. — 3) Es war das scipionische: das beweist a) der Umstand, daß er die Revolutionszeit durchaus mit den Augen Scipios (d. J.) be-

trachtet; b) der Umstand, dafs in den Büchern *de republica*
Scipio der Sprecher ist; c) der Umstand, dafs sein
politisches Ideal in diesen Büchern dasjenige des
Polybius ist. Auf diese Übereinstimmung von Cic. *d. rep.*
und Pol. VI ist das gröfste Gewicht zu legen; sie giebt
uns erst den sicheren Mafsstab an die Hand, mit dem wir
sein Leben messen können — mit den elenden Schlagwörtern
Demokratie, Opposition u. s. w. kommt man hier nicht aus.
Und wer sich dieses Mafsstabes bedient, der wird finden,
dafs C. seinem Ideal nie dauernd und bewufst untreu geworden ist — vorübergehende Aufwallungen, aus dem Gefühle
tiefer und unverdienter Kränkung entsprungen, wird ihm nur
derjenige verdenken, der in der Weltgeschichte ein grofses
Puppenspiel sieht.

(S. 4 M.) „Scipionisches Reichsideal" — hauptsächlich aus Flamininus' Orientpolitik und Scaevolas Provinzial-
edikt zu erschliefsen (Scaevola und Verres gegenübergestellt
div. 57; *Verr.* II 27; 34; III 209). — Lex injuriae:
Verr. III 211: *Quae est ista condicio Siciliae? Cur, quae*
optimo jure propter vetustatem, fidelitatem propinquitatemque esse
debet, huic praecipua lex injuriae definitur?

(S. 5 ob.) Cicero und Pompejus: Hauptstelle *fam.*
V 7 (an Pompejus) . . . *ut me tibi multo majori, quam Afri-*
canus fuit (Höflichkeitshyperbel), *me non multo minorem quam*
Laelium facile et in republica et in amicitia adjunctum esse
patiare. Die Aufrichtigkeit dieser Wendung beweifst *Att.*
II 21, 4.

(S. 5 M.) C. gegen Caesar: 1) bei den Konsular-
comitien für 63; 2) im Streit um die lex Servilia; 3) im
Repetundenprozefs des Piso; 4) in der Angelegenheit des
Roscius Otho; 5) im Perduellionsprozesse des Rabirius; 6) im
Streite um die lex *de proscriptorum liberis.* S. Lange, *röm.*
Alt. III 233 ff.

(S. 9 u.) „C. sah die Niederlage des Senates voraus".
Att. VIII 3. Seine „Weigerung" *Att.* IX 18. — „. . . dafs
er seinem Verderben entgegenging." Vgl. die schöne Stelle

Att. VII 7, 7: ' *Quid ergo*', *inquis*, '*facturus es?*' *Idem quod
pecudes*, *quae dispulsae sui generis sequuntur greges; ut bos
armenta*, *sic ego bonos viros aut eos*, *quicunque dicuntur boni,
sequar, etiamsi ruent*. Letzteres übersetzt Drumann (VI 191)
selbst wenn sie die gröfsten Gewaltthätigkeiten verübten; für
seine Philologie wie für seine Gesinnung ein gleich schönes
Denkmal. Das richtige gab schon Wieland: *auch wenn sie
sich in den Abgrund stürzen sollten*. Über die im Altertum
viel beobachtete Thatsache, dafs der 'panische Schrecken'
in die Herde fährt, s. Roscher, *üb. Selene u. Verwandtes* 152,
der auch NT Marc. V 13 καὶ ὥρμησεν ἡ ἀγέλη κατὰ τοῦ
κρημνοῦ heranzieht.

(S. 7 M.) C.s Zweck bei seiner philosophischen Schrift-
stellerei: z. B. *de off.* II 5 *Maximis igitur in malis hoc tamen
boni assecuti videmur, ut ea litteris mandaremus, quae neque erant
satis nota nostris et erant cognitione dignissima . . . . nam sive
oblectatio quaeritur animi requiesque curarum, quae conferri cum
eorum studiis potest, qui semper aliquid anquirunt, quod spectet
et valeat ad bene beateque vivendum? sive ratio constantiae vir-
tutisque ducitur* etc.

Zu § 2.

(S. 8 u.) „Diesen Gedanken deutet er mehr als einmal
an": z. B. *or.* 102—109; 131 f.; *de off.* I 1 f.

(S. 9 M.) Quintilian über Seneca X 1, 125 . . . . *dum
corruptum et omnibus vitiis fractum dicendi genus revocare ad
severiora studia contendo*. Über C.: X 1, 112 *ille se pro-
fecisse sciat, cui Cicero valde placebit*. Eine lebendige Illustration zu diesem letzteren Satze und zugleich einen durch-
schlagenden Beweis für den pädagogischen Wert des ciceronianischen Stils liefert der gröfste Sprachkünstler der Kaiserzeit,
Tacitus. Er, in dessen 'Annalen' die römische Kunstprosa
ihre zweite Blüte erlebte, giebt sich in seinem Jugendwerke,
dem *Dialogus de oratoribus*, durchaus als einen Schüler Ciceros,
dessen Ausdrucksformen er sich ganz zu eigen gemacht hat
(s. Hirzel, *Dialog* II 48 ff.). So hat er schon damals der
Welt gezeigt, was später besonders die Kunst der Renais-

sance bestätigen sollte, dafs nur der Weg durch das Schöne
zum wahrhaft Charaktervollen, jeder andere zur Zerfahren-
heit oder zur Manier führt.

Zu § 3.

Es darf bei der Beurteilung dieses Abschnittes nicht
übersehen werden, dafs ich bei der Abfassung desselben
lediglich das kulturgeschichtliche, nicht das dogmatische
Moment im Auge gehabt habe. Dafs bei der Hervorhebung
des letzteren z. B. die vergleichende Wertschätzung des
Tertullian und Lactanz sich wesentlich zu Ungunsten des
letzteren verschieben müfste, ist mir wohl bewufst (vgl.
Harnack, *Dogmengeschichte* III 19 f.); dafs aber der klare
und milde Lactanz einen weiteren Wirkungskreis und einen
segensreicheren Einflufs gehabt hat, als der schwerverständ-
liche und finstere Zelot Tertullian, ist nicht minder unzweifel-
haft. Ist schon von den Kirchenvätern und Theologen
Lactanz nicht weniger eifrig gelesen und benutzt worden
(s. die Nachweise bei Harnack, *Gesch. der altchristl. Litt.*
I 679 ff.: 742 ff.), — was soll man erst von den anderen
denken?

(S. 9 M.) E. Renan: *Hist. des orig. du christ.* VII 489 ff.
„Romania"; Oros. V 2; vgl. G. Boissier, *la fin du paganisme* II 472.

(S. 9 u,) Tertullian: *de praescr. haer.* 7; offenbar wird
die „Halle" (στοά) des Salomon gegen die heidnische Stoa
ausgespielt. Die Complexio: *cum credimus, nihil desideramus
ultra credere.*

(S. 10 ob.) „Für gewisse Leute" . . . gemeint ist P. Nerr-
lich, *das Dogma vom klassischen Altertum.* Wir haben uns
durch unsere vielgerühmte Konzentration bis zu einem solchen
Grade von Wehrlosigkeit gebracht, dafs jeder litterarische
Raubritter unser Gebiet straflos brandschatzen darf; nur so
kann ich mir die achtungsvolle Scheu erklären, mit der ein
Machwerk wie das ebengenannte von der philologischen
Kritik behandelt worden ist. Einzig um der Fachgenossen

willen, die sich von der tumultuarischen Gelehrsamkeit des
Verfassers haben übertölpeln lassen, sehe ich mich veranlaßt, — da die Besseren schweigen — Herrn Nerrlich
den folgenden Exkurs zu widmen. An dem entschiedenen
Tone, den ich anzuschlagen gedenke, bitte ich keinen
Anstoß zu nehmen; bin ich doch auch so nicht vor dem
Schicksal sicher, demnächst unter N.s Verehrer aufgenommen
zu werden, deren Namen und Urteile sein großes Reklameregister füllen.

Wie jedem bekannt ist, der einige Fühlung mit der
Kulturgeschichte gewonnen hat, teilt der Kulturfortschritt mit
jeder anderen Bewegung die Eigenschaft, daß er dem Gesetze vom Parallelogramm der Kräfte unterworfen ist, d. h.
daß die Richtung und Stärke der Resultante von der Richtung und Stärke der Komponenten abhängt. Solcher Komponenten kennt nun die moderne Kultur drei; sie heißen
Altertum, Christentum, Volkstum. Jede andere Kraft läßt
sich auf diese zurückführen; und wenn auch je zwei von
ihnen sich manchmal entgegenzuwirken scheinen, so gehört
doch der ganze Stumpfsinn der Halbwisserei dazu, sich durch
diesen Schein täuschen zu lassen und irgend eine der drei
Kräfte lahm legen zu wollen. Die Thatsache ist allbekannt,
mag auch ihre Formulierung hier neu sein. — Anders
spiegelt sich die Weltgeschichte in Herrn Nerrlichs Geist.
Er sieht von Christus bis Nerrlich nur eine *im schroffsten
Gegensatze zum Heidentume stehende Weltanschauung* (S. 27);
und da er für den bedeutsamen Ausgleich zwischen Antike
und Christentum weder Augen noch Sinn hat[1]), so handelt
es sich für ihn darum, überall das 'Heidentum' als Kultur-
faktor zu eliminieren.

Er beginnt mit den Kirchenvätern. Hier werden
weder die Zeiten, noch die Richtungen, noch die Individuali-

---

1) Über die 'Hellenisierung des Christentums als Glaubenslehre'
handelt bekanntlich Harnack in seiner *Dogmengeschichte* I[3] 455—754;
was soll man dazu sagen, daß dieses klassische Buch in N.s 'Quellenverzeichnis' (so nennt er es selber) fehlt? Beiläufig: N. hält es für
überflüssig, im Texte selbst die Provenienz seiner Weisheit anzugeben;
dafür soll uns eben dies 'Quellenverzeichnis' entschädigen, wo auf
8 Seiten Titel von Büchern aufgezählt werden, die er gelesen haben
will. Also hat Cervantes doch die Vorrede zu seinem Don Quixote
umsonst geschrieben.

täten unterschieden; mit ein paar Dutzend durcheinander-
geworfenen Citaten (wobei denn Lactanz und selbst Arnobius
die Überraschung erleben, sich 'später' als Eusebius an-
gesetzt zu sehen[1]), ist die ganze Arbeit gethan. Was beweisen nun diese Citate? Ein gewiegter Kenner der alt-
christlichen Litteratur, Comparetti, hat schon vor Jahren
das richtige gesagt: *Wer aus allen Kirchenvätern die Stellen
zusammensuchen wollte, in denen gegen das Lesen heidnischer
Bücher sowie das Profanstudium überhaupt geeifert wird, der
würde deren ungemein viele finden: noch mehr aber würde
der entdecken, welcher die Stellen sammeln wollte, in
denen das Gegenteil gesagt ist (Virgil im Mittelalter,*
übers. von Dütschke, S. 78). So urteilen Männer der Wissenschaft; Herrn N. ist freilich jedes Mittel recht, seinen Lesern
Sand in die Augen zu streuen.[2]) Und nun gar die schöne
Citiermethode: . . . *sagt Cyrill;* . . . *sagt Gregor;* . . . *sagt
Augustin;* „daſs er es sagt, und daſs er es so sagt, das
müſst ihr mir auf mein ehrliches Gesicht glauben." Natürlich glauben wir es; trotzdem ist es uns nicht gleichgültig,
ob ein Ausspruch Augustins in der Schrift *contra Academicos*
oder in der *Civitas Dei* steht.

Ganz elend ist der Abschnitt über das Mittelalter. Für
sein eigentliches Thema, das Verhältnis des mittelalterlichen
Geistes zur Antike, kann er nicht viel beibringen, da er nur
aus abgeleiteten Quellen schöpft; wir werden mit ein paar
abgegriffenen Citaten abgespeist, die ohne jede Chronologie
durcheinandergerührt sind (so erscheinen S. 34 nebeneinander
Karl d. Gr., Alexander von Villedieu und Hrotsuit); um so

---

1) S. 4. Noch besser S. 9: *schon Eusebius* [gest. 340] *hatte . . .
zurückgeführt; so erklärt auch Tertullian* [gest. ca. 160] . . . . Die
Chronologie existiert überhaupt für Hn N. nicht.

2) Daſs es weiter nichts ist, lehrt ein kurzes Nachdenken. Die
Kirchenväter sind gegen Kunst, Wissenschaft und Staat: das liegt
allerdings im Wesen des Christentums als reiner Religion; daſs sie ihre
Angriffe gegen die heidnische Kunst, die heidnische Wissenschaft, den heidnischen Staat richten, erklärt sich daraus, daſs sie
keine anderen kannten: sie konnten eben nicht Phidias mit Michel-
angelo, Perikles mit Bismarck und Plato mit Hegel vergleichen. Man
sehe nur die von Hn. N. selber aus Arnobius und Lactanz S. 17 ge-
brachten Belege: *es kümmert unsere Seele in keiner Weise, ob die Sonne
so groſs ist, wie es den Anschein hat* u. s. w. Ist damit nur die antike
Wissenschaft, oder die Wissenschaft überhaupt gerichtet?

behaglicher fühlt er sich beim kindischen Wippschaukelspiel zwischen Dualismus und Monismus, das er für die Geschichte der Weltcultur ausgiebt.[1] Dabei ist es denn kein Wunder, daſs ihn der Schwindel gepackt und gegen die tollsten Widersprüche anästhesiert hat: S. 38 erscheint die Scholastik als der *erste gewaltige Ansturm gegen die Burg des christlichen Glaubens* und Erigena (9. Jh.) als der *erste Scholastiker* — unsinnig genug, sollte man meinen; S. 42 ist dagegen diese selbe Scholastik die *letzte gewaltige Ketzerei des Mittelalters*. Doch ob erste, ob letzte — daſs eine gewaltige Zerstreutheit dazu gehört, die Philosophie des Thomas von Aquino auf den Index zu setzen, das könnte Herr Nerrlich selbst aus seinem Schlosser lernen.

Der Renaissance gegenüber äuſsert sich N. folgendermaſsen: 1) waren die Humanisten mit Nichten Verehrer des kl. Altertums — *sie waren alle ohne Ausnahme himmelweit von dem* bekannten *Dogma entfernt, sie unterscheiden sich in diesem Punkte in keiner Weise von den Kirchenvätern* (S. 62); 2) beweisen die Humanisten, daſs *gerade denen, welche sich am rückhaltlosesten dem Altertume hingeben, freilich durchaus folgerichtig, die bedenklichsten sittlichen Makel anhaften* (S. 55). Welche Makel? Erstens S. 72: *mit der Liebe zum Altertume hatte sich auch die scheuſsliche Pest der Päderastie auf Italien herabgelassen*. Mit der Liebe zum Altertum, in der That? Wo war diese Liebe, als Dantes *turba grama* in den siebenten Höllenkreis einzog? Wo war sie, als der ehrsame Peruginer Pietro di Vinciolo seine *Disonestà* betrieb (Bocc. *Dec.* V 10)? Wo war sie, als Regino von Prüm auf Grund seiner Klostervisitationen seine Bücher *de causis synodalibus* (II 254: 10 Jh.)

---

1) Ein Pröbchen bietet schon S. 24. Warum lieſs Tert. die heidnische Schule zu? *Nimmermehr werden wir uns mit der einfachen Thatsache begnügen dürfen, daſs eben nur heidnische Schulen existierten, sondern wir werden nach dem tieferen Grunde forschen müssen. Dieser aber ist kein andrer, als der Grundmangel des Christentums, der Dualismus u. s. w.* Gleich darauf wird als Beispiel *die von* Panaetius *gestiftete und später von Clemens und Origenes geleitete Katechetenschule zu Alexandria* angeführt. Allerdings, wenn Panaetius sie gestiftet hat, muſs sie heidnisch sein; Herr Nerrlich hat wohl etwas von Pantaenus läuten hören, dem Lehrer des Clemens — der sie freilich auch nicht gestiftet hat. Hier hat die Löwenhaut wieder einmal arg schlecht gesessen.

schrieb und Abbo von St. Germain in seinem Gedichte *de bellis Parisiacae urbis* (II 596 ff.: 9. Jh.) eben dieses Laster bei seinen Zeitgenossen geifselte? Welch eine Stirn gehört dazu, um so ohne jede Kenntnis des Sachverhalts als Ankläger aufzutreten![1]) Doch es kommt noch besser: auch am Hexenwahn ist die Verehrung des Altertums Schuld; Beweis: *der Prozefs der Jungfrau von Orleans war in die Blütezeit des Humanismus gefallen* (S. 74). Was schiert sich Herr Nerrlich um Geschichte, Geographie und Logik![2])

Es folgt die Reformationszeit. An N.s Lobsprüchen hätte Luther schwerlich viel Freude gehabt: er hat bessere von Besseren gehört. Immerhin haben letztere bei aller Verehrung vor dem Reformator bedauernd den Geist der Intoleranz anerkannt, den die Reformation im Gefolge gehabt hat. Anders Herr Nerrlich. *Was in aller Welt*, ruft er S. 128 aus, *sollen die konfusen, erbärmlichen Jeremiaden der protestantischen ... Geschichtschreiber*[3]) ...? *Wahrlich, es war eine grofse, eine beneidenswerte Zeit, ... welche verlangte, dafs jeder scharf darauf hin angesehen wurde, wie er sich zum landesherrlichen Bekenntnis verhalte.* — Hier bleibt dem Kritiker nichts übrig, als sich mit stummer Bewunderung vor Herrn Nerrlich zu verbeugen; mit dieser Verbeugung nehmen wir einstweilen von ihm Abschied.

(S. 10 u.) Sieg der radikal-islamistischen Partei: vgl. E. Renan, *Discours et conférences* S. 375 ff.

(S. 11 u.) Sirenen: Engel. Dafs die heidnische Litteratur und Weisheit aus der heiligen Schrift geflossen ist, sucht Clemens *Strom.* V 14—VI 4 eingehend zu beweisen;

---

1) Auch vom Konkubinat redet er so, als habe ihn erst Petrarca erfunden (S. 55); er möge doch die Pönitenzregeln des oben erwähnten Regino (*cum uxore sive ancilla* passim) studieren, wenn er wissen will, wie man im Mittelalter darüber dachte. Vom widerlichen Denuntiantenton, mit dem Nerrlich alle diese Sachen auskramt, rede ich hier nicht.

2) Prozefs der Jungfrau — 1431; Humanismus in Frankreich eingebürgert durch Budaeus (geb. 1467); erste Hexenprozesse — 1230 —40 in Trier.

3) Ohne Zweifel ist Paulsen (*Gesch. d. gel Unterrichts*[1] 223) gemeint, was ich mit Vergnügen konstatiere; eine bessere Anerkennung hätte ihm gar nicht werden können, als dies Gebelfer unseres Finsterlings.

auch nach ihm ist es vielfach geschehen, und durch Cassiodor *inst. div. et saec. litt.* I 17 ist diese Anschauung ins Mittelalter hinübergeflossen. Auf einen von Ambrosius entdeckten interessanten Synchronismus, der diese Theorie stützen soll, weist Augustin *de doctr. christ.* II 28, 43 hin, um den Nutzen der historischen Studien zu erhärten: Plato sei gleichzeitig mit Jeremias in Ägypten gewesen und habe also durch ihn die heilige Schrift kennen gelernt. Mit der Chronologie nahm man es damals nicht zu genau.

(S. 12) Hieronymus: *ep. 22, 30.* Die Schläge, zu denen er verurteilt worden war, blieben den christlichen Schriftstellern noch lange als warnendes Exempel im Gedächtnis; ihrer gedachte noch Herbert, Bischof von Norwich, in einem analogen Traume, zu dem freilich die 'Lügen' Ovids die Veranlassung gegeben haben. Vgl. Comparetti, *Virgil im Mittelalter* 86, ja selbst im kanonischen Recht (Decr. Grat. Dist. XXXVII can. 7) wurden sie gegen die klassische Litteratur ausgebeutet. Noch gröfsere Celebrität hatte die von ihm gebildete Antithese *Ciceronianus: Christianus,* mit der sich noch Petrarca (p. 1054 Basil.) auseinandersetzt. — Die Polemik gegen Rufin steht *adv. Ruf.* I 30 f. Eine edle Christenseele: das bleibt Hieronymus, wenn man ihn vom christlichen Standpunkte beurteilt; darin behält Erasmus Recht gegen Harnack *Dogmengeschichte* II 470 ff., der sich in seinem Urteil über Hieronymus doch zu sehr von Rancunen neuesten Datums hat beeinflussen lassen. Wer sich jenen Kämpfern gegenüber auf den Standpunkt des Heils stellt — und der ist ihnen gegenüber der einzig angebrachte —, vor dessen Augen gewinnen auch ihre rettenden Inkonsequenzen einen anderen Aspekt. — Dafs dieser Vorbehalt im übrigen meiner Verehrung für das bewunderungswürdige Buch, das ich soeben citiert habe, keinen Eintrag thut, versteht sich von selbst.

(S. 14 M.) Minucius Felix. Das im Anschlufs an Ebert, *Allg. Gesch. d. Litt. d. Mittelalters im Abendl.* I 24 ff., hier über ihn bemerkte wird durch die Ausführungen von Schanz Rh. M. 50 114 ff. nicht sonderlich berührt; aber selbst wenn dem so wäre, so würde das der Sache keinen Ein-

trag thun, da diese Ausführungen zweifellos falsch sind.
Fronto soll nicht etwa gelegentlich von M. F. mit berück-
sichtigt worden sein, sondern geradezu die Quelle der
Caeciliusrede gebildet haben; erschlossen wird das aus dem
bekannten *homo Plautinae prosapiae,* unter dem Fronto gemeint
sein soll. Dagegen spricht jedoch: 1) *pistorum praecipuus,*
was kein Mensch mit Schanz zu *der erste unter den Plau-
tinern* wird verflüchtigen wollen; 2) der Umstand, daſs nach
Schanzens Annahme Caecilius gegen seinen eigenen Bundes-
genossen *(Cirtensis nostri, Fronto tuus)* in der gröbsten Weise
losziehen würde; 3) die folgenden Worte des Minucius, aus
denen hervorgeht (14, 2 *neque enim prius exultasse te dignum
est concinnitate sermonis, quam utrimque plenius fuerit pero-
ratum*), daſs die Malice gegen Octavius gerichtet war. Das
homo Pl. prosapiae wird durch *pistorum praecipuus* erklärt;
inwiefern Octavius das letztere war, wird sich nie entscheiden
lassen. — In der anderen Controverse — das Verhältnis
des Minucius zu Tertullian betreffend — will ich kein Urteil
ausgesprochen haben; für unsere Frage ist sie ohne Belang.

(S. 15 ob.) die Juden und das Griechische: Zur
Zeit des Tituskrieges wurde von den Rabbinern verboten,
daſs jemand seinen Sohn im Griechischen unterrichte.
Schürer, *Gesch. d. jüd. Volkes im Zeitalter Jesu Christi* II 45.

(S. 15) Lactanz und Cicero, „Epitome der cic.
Dialoge" Hieron. *ep.* 70, 5; „Strom cic. Beredsamkeit" *ep.*
58, 10. Das interessante Thema über das Verhältnis des
christlichen Cicero zum heidnischen kann hier nicht erschöpft
werden; einige Andeutungen mögen immerhin Platz finden.
  Zunächst kam der negative Teil der Schrift *de nat. deor.*
seinem apologetischen Eifer so erwünscht wie nur möglich.
*Totus liber III de natura deorum omnes funditus religiones
evertit ac delet,* ruft er (*div. inst.* I 17) triumphierend aus —
ein groſses Wort, das ihm Voltaire und Diderot mit noch
viel gröſserem Nachdruck nachsprechen werden. Schien es
doch, als ob C. mit seiner Negation lediglich die Ohnmacht
der menschlichen Vernunft feststelle: vielfach citiert L. seine
resignierten Worte *ND* I 91 *utinam tam facile vera invenire
possim quam falsa convincere!* (*div. inst.* I 17; II 4; *de ira*

Dei 11), durch die er, nach seiner Meinung, die Lücke fest-
stellte, in welche der Offenbarung zu treten bestimmt war: *quia
veritas humanis sensibus erui nunquam potest, quod assequi valuit
humana providentia, id assecutus est, ut falsa detegeret.* Um so
gröfser ist seine Bewunderung, wenn er eine Wahrheit der
christlichen Lehre von C. vorweggenommen sieht. Hierher
gehört vor allen Dingen das Zeugnis von dem einen Gott
(*de legg.* II 8 und sonst: *div. inst.* I 5). Sodann namentlich
der Beweis für das Dasein Gottes, den der aufwärts gerich-
tete Blick der Menschen der ewigen Ordnung der Himmels-
lichter entnimmt (*ND* II 4 *quid enim potest esse tam apertum
tamque perspicuum, cum caelum suspeximus caelestiaque con-
templati sumus, quam esse aliquod numen praestantissimae mentis
quo haec regantur?* Und sonst einige mal); er citiert und
paraphrasiert ihn *div. inst.* I 2 mit einer wahren und echten
Begeisterung, die ihm nicht nur Prudentius, sondern auch
Luther (s. S. 36) nachempfunden hat. Wie er nun gar das
Gebot der Sittlichkeit von Cicero als eine *dei lex* entwickelt
sieht (*de rep.* III 33), kennt seine Bewunderung keine Grenzen
mehr; *quis sacramentum Dei sciens*, ruft er *div. inst.* VI 8 aus,
*tam significanter enarrare legem Dei posset, quam illam homo
longe a veritatis notitia remotus expressit? Ego vero eos, qui
vera imprudentes loquuntur, sic habendos puto, tamquam divinent
spiritu aliquo instituti.*

Dafs freilich der Christ am Heiden auch manches auszusetzen findet, ist nicht verwunderlich. Die verständigen
Lehren des Römers über die Schädlichkeit der nicht um-
sichtigen *largitio* (*de off.* I 42 ff.) finden seinen Beifall nicht
(*div. inst.* VI 11), noch weniger freilich die Definition der
Gerechtigkeit *ut ne cui quis noceat nisi lacessitus injuria*
(*de off.* I 20) — ein Tadel (*div. inst.* VI 18), in dem er sich
mit Ambrosius (s. S. 16) begegnet. Und so lieb ihm die
Konstatierung der bewufsten Lücke (s. oben) war, so feindselig verhielt er sich gegen jeden Versuch, diese Lücke auszufüllen: dafs Cicero die Philosophie eine *parens vitae* genannt
hatte, konnte er ihm nicht verzeihen (*div. inst.* III 14). In
denselben Irrtum verfiel freilich auch Seneca: *quis enim veram
viam teneret, errante Cicerone?* So urteilte er von ihm, auch
wo er ihn bekämpfte.

(S. 16.) Ambrosius und Cicero: Eberts Urteil: a. O. I 150. Vorbehalt wegen der 'Gerechtigkeit' I 28, 131 (nach Lactanzens Vorgang, s. oben): *dicunt, eam primam esse justitiae formam, ut nemini quis noceat, nisi lacessitus injuria; quod Evangelii auctoritate vacuatur.* Die *vita aeterna* als Regula: I 9. Die *natura magistra* z. B. I 18, 67. Die juristische Begründung der Entlehnung ist natürlich auch hier die Ansicht, dafs die letzte Quelle der ganzen Lehre die heilige Schrift sei; z. B. I 28, 132 . . . *quae in terris gignuntur omnia ad usus hominum creari, homines autem hominum causa. Unde hoc, nisi de nostris scripturis . . .?*

(S. 17) Augustin und Cicero: Hauptstelle *Conf.* III 4 (vgl. *Soliloq.* I 10: *prorsus mihi unus C.is liber facillime persuasit, nullo modo appetendas esse divitias*). Die Stelle *cujus linguam fere omnes mirantur, pectus non ita* habe ich anders übersetzt, als es gewöhnlich (schon seit Erasmus, *Vita Hieronymi* i. A.: *loquitur C., tonat ac fulminat H.; illius linguam miramur, hujus etiam pectus*) geschieht; mafsgebend waren für meine Auffassung drei Erwägungen; 1) soll in dem *pectus non ita* ein Tadel C.s enthalten sein, so würde dieser Tadel mit dem folgenden *neque mihi locutionem, sed quod loquebatur persuaserat* im Widerspruch stehen; wichtig ist auch *epist.* 164, 4 *quorum eloquium ingeniumque miramur*, wenn ich die Stelle oben S. 18 richtig auf Cicero bezogen habe; 2) eine Kritik des Charakters C.s liegt dieser ganzen Epoche fern[1]): zu einer solchen konnte sich erst die Renaissance aufschwingen; 3) die Parallelstelle Arnobius *adv. g.* III 6 . . . *e quo si res sumere judicii veritate conscriptas, non verborum luculentias pergeretis, perorata esset haec causa* (des Christentums gegen das Heidentum).

Beiläufig: mit dem eben citierten Wort des Arnobius beginnt chronologisch die unendliche Reihe der Zeugnisse gegen die unglaublich kurzsichtige, aber nur zu sehr verbreitete Meinung, deren Formulierung ich einer in allen

---

1) Mit alleiniger Ausnahme des ältesten unter den Kirchenvätern, Tertullians, der C.s Werke nirgends direkt citiert, dafür aber Anekdoten aus seinem Leben anführt, darunter auch solche, die seinen Charakter (allerdings nur vom asketischen Standpunkte aus) in ungünstigen Lichte erscheinen lassen.

anderen Punkten verdienstlichen Litteraturgeschichte ent-
nehme: *sobald das Interesse an der lateinischen Form erlosch,
mußte auch das Interesse an Cicero sich mindern.* Gegen diese
Meinung ist diese ganze Darstellung gerichtet; an ihren
Vertretern wird es liegen, zu zeigen, ob die Kraft der Wahrheit etwas bei ihnen vermag.

Zurück zu Augustin. C. ist ihm der vollendetste Künstler
der lateinischen Rede (*de magistro* 16 *quid in lingua latina
excellentius C.e inveniri potest?*), der unermüdlichste Erzieher
der Jugend zum Guten und Wahren (*c. acad.* III 16 *de
adulescentium vita ... cui educandae atque instituendae omnes
illae litterae tuae vigilaverunt*), vor allem aber — der erste
und größte römische Philosoph (*c. acad.* I 8 *... a quo in
latina lingua philosophia et incohata est et perfecta*). Als solcher
hat er zum hellenischen Obersatz den römischen Untersatz
geliefert (zum Obersatz des theoretischen den Untersatz des
praktischen Verstandes, wenn wir interpretieren dürfen) und
dadurch den christlichen Schlußsatz ermöglicht (*civ. Dei* II 13:
proponunt Graeci ... assumunt Romani [d. h. C., der auch
citiert wird] *... concludunt Christiani*). Daher darf sich das
Christentum soviel wie nötig von ihm aneignen (*de doctr.
christ.* II 40 *ab ethnicis si quid recte dictum, in nostrum usum
est convertendum*[1]) — was sofort an C. exemplifiziert wird);
und wie das geschehen darf, dafür liefert *in Joh. evang.
tract.* 58, 3 ein interessantes Beispiel, wo die Worte des
Erlösers *vos vocatis me Magister et Domine et bene dicitis; sum
enim* gegen Prov. XXVII 2 *non te laudet os tuum, sed laudet
te os proximi tui* mit Hinweis auf Cic. *or.* 132 *... dicerem
perfectam si ita judicarem, nec in veritate crimen arrogantiae
pertimescerem* verteidigt werden: *si igitur ille homo eloquentis-
simus in veritate arrogantiam non timeret, quomodo arrogantiam
ipsa Veritas timet?* So werden die Definitionen der Tugenden
unmittelbar aus *de inv.* herübergenommen (*de div. quaest.
LXXXIII* 31); so werden die Äußerungen C.s gegen die
fleischlichen Lüste mit den begeisterten Worten eingeführt,
die an das Pathos Lactanzens bei ähnlicher Gelegenheit
erinnern: *haec ille dixit, qui nihil de primorum hominum vita,*

---

1) Mit diesem Satz hat sich das Christentum in Hellas eingeführt:
Just. *Apol.* II 13 ὅσα οὖν παρὰ πᾶσι καλῶς εἴρηται, ἡμῶν τῶν Χρι-
στιανῶν ἐστι. Cf. Harnack *DG* I 481.

nihil de paradisi felicitate, nihil de corporum resurrectione cre-diderat. Erubescamus interim veris disputationibus impiorum, qui didicimus etc.

Im späteren Alter hielt diese Stimmung nicht vor; so macht sich im Briefe an Dioscorius (*ep.* 118) eine seltsame Gereiztheit des christlichen Bischofs dem heidnischen Philosophen gegenüber geltend, die mit dem Ärger über das von Dioscorius angestrebte Scheinwissen nicht genügend motiviert ist. Auch in der *Civitas Dei* ist er ihm im ganzen nicht freundlich gesinnt — obgleich die Idee der Schrift, wenn nicht alle Zeichen trügen, aus C. *de legg.* I 23 *ut jam universus hic mundus una civitas communis deorum atque hominum existimanda sit* stammt. Darf man diese veränderte Haltung mit dem mittlerweile entbrannten pelagianischen Streit in Verbindung bringen? Denn allerdings wußten die Pelagianer bei dem römischen Philosophen noch ganz andere Anleihen zu machen; den Satz des C. 'virtutem nemo unquam acceptam deo retulit' kann man als Motto über den Pelagianismus setzen, sagt Harnack *DG* III 156, 2, und der Pelagianer Julian schöpfte seine Lehre aus einer großen Anzahl Philosophen (einschließlich C.), die er wohl alle, Aristoteles ausgenommen, aus Cicero hatte. Wenn sich nachweisen ließe, daß C. auf die Pelagianer einen bestimmenden Einfluß gehabt und so mittelbar die Kirche veranlaßt hat, mit Hilfe einer ihrer rettenden Inkonsequenzen die unselige, kulturfeindliche Praedestinationslehre, die sie in der Theorie adoptiert hatte, im weiteren Verlauf der Entwickelung unwirksam zu machen — es würde zu seinen größten Ruhmestiteln gehören.

(S. 18) Dante: *Purg.* XXII 64 ff. — Augustin über Christi Höllenfahrt: *ep.* 164, 4. — C.s Verchristlichung scheint allerdings nach dem Impuls, den ihr die Kirchenväter gegeben hatten, auch weiter fortgeschritten zu sein. Hatte Hieronymus geraten, mit den heidnischen Schriftstellern so zu verfahren, wie es die Israeliten mit den heidnischen Weibern thaten — sie durften sie nämlich ehelichen, nachdem sie ihnen die Nägel und Haare abgeschnitten hatten —, so war es der Presbyter Hadoardus, der in karolingischer Zeit die Operation in origineller Weise an Cicero vollzog,

indem er durch Ausscheidung alles heidnischen, Verwandlung
von *di immortales* in *deus* u. ä. einen christlichen Cicero
herstellte; s. Schwenke, *des Hadoardus Cicero-Excerpte*
Philol. 5. Supplbd. 402 ff. Um dieselbe Zeit war es, dafs
der Mönch Probus Cicero mit Vergil unter die Heiligen versetzt wissen wollte (Lupi Ferr. ep. 20); s. Comparetti,
Virgil im MA 87. Den Endpunkt der Entwickelung bildet
die fromme Legende von C.s Tode, die Comparetti a. O.
92 f. aus mündlicher Tradition anführt; darnach soll er mit
den Worten gestorben sein: *causa causarum, miserere mei!* —
wohl die schönste Verknüpfung der heidnischen Metaphysik
mit der christlichen Erlösungslehre, die sich denken läfst.

(S. 19 ob.) Die Wiedergeburt der heidnischen Litteratur im 5. Jh.; für ihre Charakteristik war die Darstellung
Boissiers (*la fin du paganisme* II 181 ff., bes. 243 ff.) mafsgebend. Doch möchte ich zu bedenken geben, ob nicht
der Name des Gegners und Herunterreifsers Vergils bei
Macrobius — Evangelus — mit bewufster Beziehung ge-
wählt ist.

Zu § 4.

(S. 20 ob.) C.s Briefe bald vergessen: s. L. Mendels-
sohn in der Vorrede su seiner Ausgabe der *ep. ad fam.*
S. III—X.

(S. 20) C.s dreifache Religion: s. Zeller, *Phil. d.
Gr.* III³, 1, 566 f. Der Gedanke — einer der grofsartigsten
Gedanken des Altertums, beiläufig gesagt, die Erklärung des
grofsen Religionsfriedens jener Zeit — ist allgemein antik,
die Formulierung stoisch; sie wurde durch Panaetius dem
Scipionenkreise und durch Scaevola C. zugeführt.

(S. 21.) C. und das Recht der freien Wahl: *de
off.* I 6 *sequemur igitur hoc quidem tempore et in hac quaestione
potissimum Stoicos, non ut interpretes, sed, ut solemus, e fon-
tibus eorum judicio arbitrioque nostro quantum quoque modo
videbitur hauriemus. de legg.* II 17 *sententias interpretari per-*

facile est; quod quidem ego facerem, nisi plane esse vellem meus.
Vgl. die S. 33 citierte Äußerung Petrarcas.

(S. 22 ob.) *Ista sunt ut disputantur: de legg.* I 24.
So mit geringfügiger Verderbnis (*ita* statt *ista*) die Über-
lieferung, die von den Interpreten, soviel ich sie kenne,
nicht verstanden worden ist.

(S. 22 u.) Der Gegensatz des Christentums zu C.
betrifft zwei Punkte: 1) C.s Ansicht, daß die Ergebnisse
der philosophischen Religion keinen Gegenstand der Propaganda bilden dürfen, damit die Geister der Masse nicht
verwirrt werden *(non esse illa vulgo disputanda, ne susceptas
publice religiones disputatio talis extingueret).* Dagegen Lactanzens leidenschaftliche Apostrophe, *div. inst.* II 3: *Quin
potius, si quid tibi, Cicero, virtutis est, experire populum facere
sapientem: digna res est, ubi omnes eloquentiae tuae vires exer-
ceas* ... *Sed nimirum Socratis carcerem times* — und der
zornige Seitenhieb Augustins *civ. D.* IV 30 . . . *qui* (C.)
*quantolibet eloquio se in libertatem nitatur evolvere, necesse habebat
ista venerari; nec quod in hac disputatione* (ND) *disertus insonat,
muttire auderet in populi contione.* Lehrreich ist der Vergleich
mit den Aufklärern: s. oben S. 50. — 2) C.s akademische
Skepsis dem bezeichneten Grenzgebiet gegenüber — sein
aut etiam aut non. Dagegen Lactanzens Spott (*div. inst.*
II 9 *concedamus hoc mori atque instituto Academicorum, ut liceat
hominibus valde liberis dicere ac sentire quae velint* (betreffend
C.s Äußerungen über das Chaos) und Augustins Erbitte-
rung *civ. D.* IV 30: *sed iste Academicus, qui omnia esse con-
tendit incerta, indignus est qui habeat ullam in his rebus aucto-
ritatem.*

(S. 22 u.) Recht der Wahl — Haeresis. Daß wir hier
kein Wortspiel, sondern eine historische Entwickelung haben,
die sich im Bewußtsein der Menschen vollzogen hat, lehrt
Tertullian *de praescr. haer* 6: *Nobis nihil ex nostro arbitrio indulgere licet, sed nec eligere quod aliquis de arbitrio suo induxerit. Apostolos domini habemus auctores, qui
nec ipsi quicquam ex suo arbitrio quod inducerent elegerunt, sed*

acceptam a Christo disciplinam fideliter nationibus assignaverunt.
Vgl. Harnack, *DG* I 386 ff.

(S. 22 f.) Die Apologie des Christentums frei nach Origenes *c. Celsum.* Daſs sie für die griechische Welt nur mit
einem Vorbehalt (Eleusinien, Orphica) anzunehmen ist, weiſs
jeder. Für die römische aber ist ihre Geltung unbedingt.

Zu § 5.

(S. 24 u.) Petrarcas Weltflucht: in den Schriften *de
contemptu mundi, de vita solitaria* und *de otio religiosorum* —
besonders wichtig die zweite, deren für die ganze Renaissance *paradigmatische Bedeutung* Körting, *Petrarcas Leben*
578 gut auseinander gesetzt hat. Weltflüchtig ist das Mittelalter zwar auch; über den fundamentalen Unterschied zwischen
den beiden Anschauungen bemerkt Weselowski: *Boccaccio* [russisch] II 73: *der Humanist sucht die Einsamkeit, er
liebt die stille Schönheit der Natur, nicht um des ungestörten
Verkehrs mit dem Himmel wegen, wie es die Helden und Be-
kenner des Christentums thaten — er projiziert sich selbst in
die Natur hinein, aus der Einsamkeit trägt er das gesteigerte
Bewuſstsein seines Ich heraus, seines ethischen und intellektuellen
Wohlergehens, seines Adels, den er nicht ererbt, sondern durch
geistige That errungen hat.* — Machiavellis Welthaſs:
im *Principe* passim; recht charakteristisch c. 18: *non può
un signor prudente nè debbe osservar la fede, quando tale osser-
vanzia gli torni contro e che sono spente le cagioni che la
feciono promettere. E se gli uomini fussero tutti buoni, questo
precetto non saria buono; ma perchè son tristi e non l'osser-
verebbono a te, tu ancora non l' hai da osservare a loro.* —
Renaissance gegen Standes- und Nationalitäten-
unterschiede: für den ersten Punkt verweise ich auf
Burckhardt, *Kultur der Renaissance* T. V Kap. 1; für den
zweiten: wegen Petrarca auf Voigt, *Wiederbelebung des kl.
Alt.* I 64 f., wegen Boccaccio auf dessen Brief an Pino de'
Rossi mit seinem individualistischen Kosmopolitismus (s. Korelin, *die italienische Frührenaissance* [russisch] I 515 f.).
Freilich hat hier die Verehrung des Altertums eingegriffen:
sie brachte bei den Humanisten der Frührenaissance einen
abgeleiteten Patriotismus hervor, der eben kein toskanischer

oder italienischer, sondern ein römischer war und sich
mit ihren humanistischen Neigungen ausgezeichnet vertrug,
da beides auf eine Negation des bestehenden Staates hin-
auslief. Auf den modernen Beobachter wirkt dieses Doppel-
antlitz der Renaissance — Indifferentismus in Nationalitäten-
fragen einerseits, glühender Patriotismus andrerseits — in
der ersten Zeit störend. — Eine andere, nicht minder ab-
geleitete Erscheinungsform des Patriotismus besteht darin,
dafs das Volk, welches die Bildung aus ihrer
Quelle, dem Hellenismus, getrunken hat, eben dadurch die Kraft empfängt, das Joch der geistigen
Fremdenherrschaft abzuschütteln und seinerseits
ein Übergewicht über die Nachbarvölker zu er-
langen. Dieses von den Nationalisten gründlich verkannte
Gesetz ist einen kurzen Exkurs wert.

Zu Beginn des Mittelalters der Gegensatz zwischen
dem klassisch gebildeten Columban und dem rein kirch-
lichen Bonifatius (s. Scherer, *Gesch. d. deutsch. Litt.* 37 ff.):
daher das Erwachen der angelsächsischen Litteratur als der
ersten Nationallitteratur des neuen Europas und das geistige
Übergewicht des angelsächsischen Stammes, das in der Sen-
dung Alcuins seinen Ausdruck fand (in seiner Grammatik
sehr bezeichnend Saxo der Lehrer, Francus der Schüler:
s. Ebert II 17). Durch Alcuin kommt der Primat an die
Franken ('karolingische Renaissance'): Folge das aufflackernde
Interesse an der deutschen Nationalpoesie (Sammlung Karls
d. Gr.), gleich wieder verlöschend, der Kurzlebigkeit dieser
Renaissance in Ostfrancien entsprechend. Anhaltender war
die Wirkung in Westfrancien, wo das Werk Karls d. Gr. an
seinem Enkel einen Fortsetzer fand: Folge der unbestrittene
Primat der französischen Sprache und Poesie über Britan-
nien (durch die Normannen vollständige Francisierung, s.
G. Paris, *la poésie du moyen âge* II 33 ff. 45 ff., der mit
Recht in der Rückkehr der Angelsachsen *à la barbarie pri-
mitive, dont l'influence de l'église et de l'instruction classique les
avait tirés,* den Grund dieser Erscheinung sieht), Deutschland (Scherer 66 ff.: Sprache, Sagenstoffe; bezeichnend,
dafs nicht Karl d. Gr., sondern nur Charlemagne in der Dichtung
fortlebt), Italien (französisch die Sprache der Gebildeten; noch
Brunetto Latini, der Lehrer Dantes, schrieb französisch).

Diesem Zustand machte eben die Renaissance, und nur die Renaissance ein Ende. Bereits durch ihren Vorläufer Dante entsteht das *volgare* als Kunstsprache, das Italienische, welches durch Petrarca, Boccaccio weiter entwickelt wird und das Französische vollständig verdrängt. In Deutschland war die Folge der Renaissance die, dafs das deutsche Volk, *das so oft fremden Impulsen gehorchte, zum ersten male für kurze Zeit die geistige Führung Europas an sich rifs* (Scherer 275). In England gab die Renaissance, wie Taine das so schön ausführt, dem sächsisch-germanischen Stamm die geistige Herrschaft über den normännisch-französischen zurück (*Hist. de la litt. angl.* I 258 ff.). Doch wurden in Deutschland und England die Früchte der Renaissance durch die Reformation, in Italien durch die Gegenreformation zerstört; nur Frankreich verstand es den hugenottischen wie den jesuitischen Fanatismus in gleicher Weise niederzuhalten: die Folge war der zweite nicht minder unbestrittene Primat der — mittlerweile durch den franz. Humanismus gestärkten und veredelten — französischen Sprache in ganz Europa im sog. klassischen Zeitalter. Dafs Deutschland sich von dieser Herrschaft erst durch den Neuhumanismus emanzipierte, ist allbekannt: *de 1780 à 1830,* sagt Taine (ibid. V 268; es bedarf keiner Erklärung, warum ich in dieser Sache am liebsten einen Franzosen citiere) *l'Allemagne a produit toutes les idées de notre âge historique, et pendant un demi-siècle encore, pendant un siècle peut-être, notre grande affaire sera de les repenser.* Und dann? Das wird davon abhängen, in wessen Händen sich das goldene Vlies befinden wird; will Deutschland es Iason nachmachen, so wird sich schon ein neuer Ägeus und ein neues Athen finden.

(S. 25 ob.) Die Renaissance und die Familie: *In den Auslassungen gegen die Ehe bei Petrarca und Boccaccio, beim veronensischen Humanisten des 14.—15. Jh. maestro Marzagaia und noch bei L. B. Alberti giebt sich nicht sowohl eine senile Reaktion kund im Sinne der mittelalterlichen Rigoristen mit ihrer misogynen Stimmung, als vielmehr ein krankhafter Kultus der in sich gekehrten Persönlichkeit, die selbstgenügsam mit Horaz 'nil ait esse prius, melius nil caelibe vita'* (Weselowski ibid.).

(S. 25 M.) Petrarca der anerkannte Führer der Humanisten: Bruni in dem gleich zu behandelnden Dialog *de
tribus vatibus*, s. 80 Klette *praesertim cum hic vir studia
humanitatis, quae jam extincta erant, reparavit et nobis, quemad-
modum discere possemus, viam aperuit.* — Petrarcas Brief an
Cicero: *ep. ad vir. quosd. ex vet. ill. 2* (ed. Basil. 704).

(S. 26 ob.) „Es wäre unsinnig, C. über die grofsen Griechen zu stellen" — nämlich für uns; die Renaissance hat
es thatsächlich gethan. Boccaccio führt diese Schätzung
in der gleich zu nennenden Biographie durch; auch bei
Bruni war es die Unzufriedenheit mit Plutarchs vergleichender
Beurteilung des Demosthenes und C., die ihn bewog, seinerseits C.s Leben zu beschreiben (*Leonardi Aretini Cicero novus,*
von Korelin in der Pariser Handschrift N. 1676 [von fol.
132 an] gelesen und ibid. II 669 f. charakterisiert. Darnach
Voigt II 165 zu berichtigen).

(S. 26 M.) C.s Schicksale während des Mittelalters:
Voigt I 36 f. Ausführlicher für die karolingische Epoche
Schwenke, Phil. Suppl. V 399 ff. Daraus ad vocem ʿin-
cognitoʾ: Einhardt sagt in einem Briefe an Lupus v. Ferrières, er habe für den Tod der Gattin Trost gesucht bei
Cyprian, Augustin und Hieronymus. Dafs ihm in des letzteren *epit. Nepotiani* eben Ciceros *consolatio* vorlag (Buresch,
consolationum . . . hist. crit. 100 ff.) — das hat er wohl selbst
von Lupus nicht mehr erfahren können. — Über die vergiliani-
schen Allegorien s. Comparetti a. O. 186. 188.

(S. 27) Petrarcas Bekanntwerdung mit C.: *ep. rer. sen.*
XV 1 (ed. Basil. 946).

(S. 28 u.) C. für die Renaissance eine Persönlichkeit:
s. Weselowski II 89: *Das Material an Klassikern ist bei
Boccaccio dem Mittelalter gegenüber gewachsen, aber nicht in
dem Mafse, dafs dieses Wachstum auf den Charakter der humanistischen Richtung eine Wirkung hätte ausüben können. Die
Sache ist vielmehr die, dafs man anders zu lesen begonnen
hatte. Petrarcas Cicerokult beweist, dafs es nicht mehr ein
Herauslesen, sondern ein Sichhineinlesen, Sichhineinleben war,*

*dafs die Klassiker nicht mehr nach den Kenntnissen, die aus ihnen
zu holen waren, geschätzt wurden, sondern auch an sich, als
lebendige, nahe Persönlichkeiten, die man liebt und begreifen
möchte, mit denen man aber auch das Bedürfnis einer Auseinander-
setzung empfindet.*

(S. 29.) Der Brief ins Jenseits: *ep. ad vir. quosd. ex vet.
ill.* 1 (ed. Bas. 704). Der Gedanke dürfte aus Lactanz
stammen, der C. einigemal ähnlich apostrophiert (s. oben
S. 78) und ihn einmal (*div. inst.* III 13) geradezu aus dem
Jenseits evocieren möchte. Gerade deshalb ist der Vergleich
lehrreich: dort Vorwürfe, weil C. sich einem Kampfe ent-
zogen, hier, weil er der Kämpfe zuviel gesucht hat. Das
Bild vom nächtlichen Wanderer stammt aber aus Dante
Purg. XXII 67 ff. (an Vergil):

> Facesti come quei che va di notte,
> Che porta il lume dietro, e sè non giova,
> Ma dopo sè fa le persone dotte.

Bruni hat übrigens das Bild gegen Petrarca selbst gekehrt:
Vita di Petrarca 53 ed. Galetti (Voigt I 384).

(S. 31 ob.) Über Perrault z. B. Lanson *Hist. de la
litt. fr.* 585 ... *ses Parallèles des anciens et des modernes ...
dans lesquels s'étalaient à la fois beaucoup d'assurance et beaucoup d'ignorance.* Da mit diesen Worten nicht nur Perrault,
sondern ebensogut Herr Nerrlich selber charakterisiert ist
— und damit nehmen wir den Faden wieder auf, den wir
S. 70 haben fallen lassen — so ist seine Sympathie zu ihm
nur begreiflich: es war nichts geringeres als eine mystische
Kopulierung Bacos und Descartes nötig, um unseren schweif-
wedelnden Höfling hervorzubringen ... pardon, *einen Genius,
zu dessen Höhe noch unsere Gegenwart mit Staunen emporblicken
mufs: Charles Perrault* (S. 155). Seine Dialoge *sind das
erste Glied der Reihe, welche in Rousseau und Voltaire, der
französischen Revolution und Napoleon endete: sie befreiten die
Nation vom Joche der Fremden, gaben ihr das Bewufstsein ihrer
selbst und damit die Weltherrschaft* (S. 176). Sehen wir uns
Rousseau, das nächste von Hn. N. bezeichnete Glied dieser
Reihe an: *Sein Satz: es giebt keinen Fortschritt der Vernunft*

6*

*im Menschengeschlechte — fundamentiert er nicht das Dogma
vom klassischen Altertume und richtet er sich nicht gegen die
grofsartige Entdeckung seines Landsmanns Perrault?* (S. 221).
Ja freilich thut er das; bei welchem der beiden Sätze hat
nun Hr. N. geschlafen? — Allerdings bildet Rousseau auch
das Glied einer anderen Kette: *wie die alten Humanisten als
Vorboten Luthers anzusehen sind, so haben diese Neuhumanisten*
[Heyne und Winckelmann] . . . *zum wenigsten das negative
Verdienst, die erneute Revision des Christentums, wie sie später
von Rousseau vorgenommen wurde, angebahnt zu haben*[1]) (S. 198).
Schon wieder 'später'? Hier die Zahlen: Winckelmann
1717—68, Heyne 1729—1812, Rousseau 1712—78; W.s
Erstlingswerk *Gedanken über die Nachahmung* etc. 1755,
Rousseaus erstes 'Naturevangelium' *si le progrès* etc. 1749!
Nun, Hr. Nerrlich kann kaltblütig erwidern: so fällt auch
das noch weg. — Übrigens ist die Lektion Deutschland übel
bekommen: *hatte Perrault mit seinem Enthusiasmus für das
Nationale die glorreichste Periode seines Vaterlandes inauguriert,
so war . . . die Konsequenz dieses* [des Winckelmannschen]
Standpunktes schliefslich der Tag von Jena (S. 199). Bekanntlich hat Deutschland nach Jena den klassischen Unterricht
abgeschafft, als einzigen Klassiker den verdünnten Hegel in
die Schule eingeführt, nebenbei *jeden Lehrer scharf daraufhin
hin angesehen, wie er sich zum landesherrlichen Bekenntnis verhalte*[2]) und die 'Konsequenz dieses Standpunkts' war der
Tag von Sedan . . . oder verhielt es sich anders?

Denn darauf läuft alles hinaus: auf den verdünnten
Hegel. *Descartes' cogito ergo sum, Spinozas Substanz* u. s. w.
(ich mag die Litanei nicht ausschreiben) *sie alle weisen auf
Hegel hin. Die Aufgabe des zwanzigsten Jahrhunderts nun ist
die Umwandlung dieser Philosophie in Religion, das heifst die*

---

1) Vgl. gleich unten: *Winckelmann, Heyne . . . bereiten auf das
Naturevangelium Rousseaus vor.*

2) Im Ernst: einen schüchternen Anlauf dazu hat Vilmar genommen. (Paulsen *Gesch. d. gel. Unterr.* 719, und daraus Nerrlich
S. 335), aber ohne sich Hn. N.s Dank zu verdienen. Es ist eben
sehr schwer, Hn. Nerrlich zufrieden zu stellen: tritt er doch selbst
gegen Trapp als Anwalt des klassischen Unterrichts auf (S. 222).
Eine Person Gutzkows hat sich, um interessant zu sein, die Taktik
angewöhnt, zu allem *au contraire* zu sagen; dasselbe gilt von Hn. N.

Auffindung einer Form, welche die Entdeckungen Hegels auch dem Verständnisse der draufsen Stehenden, des Volkes und der Unmündigen, zugänglich macht (S. 235). Mit Verlaub: die Idee hat sich Hr. Nerrlich widerrechtlich angeeignet; ich reklamiere sie für ihren rechtmäfsigen Eigentümer, Karl Emanuel den Unbefriedigten. Denn also heifst es bei seinem Biographen, dem grofsen Epigonendichter Immermann: *Dem Philosophen* (Karl Emanuel) *machte er* (Hegel) *kund, dafs zwar über sein eigenes System hinaus, wie für sich klar sei, nichts liege, dafs er ihm aber die Formel geben wolle, wodurch es verständlich werde* (Münchhausen B. VI, Kap. 9).

Wäre es doch nur bei den 'drinnen stehenden' mit dem Verständnis Hegels besser bestellt! Bisher wufsten wir wohl, wer allein Hegel verstanden hat, und wie ers gethan; die Entdeckung aber, die Hr. N. macht, ist noch viel trostloser: darnach hat Hegel sich selbst nicht verstanden. Er liefs sich *vom Banne des Dogmas gefangen nehmen*; zu seiner Entschuldigung nimmt Hr. N. an, dafs er *durch den persönlich mit ihm befreundeten und auch amtlich ihm nahegebrachten* (nageln wir den schönen Ausdruck fest) *Niethammer auf seinen Irrweg geleitet worden sei* (S. 249). Nach dieser Ohrfeige, die Hr. N. seinem Götzen versetzt, werden wir uns nicht mehr wundern, dafs auch die Koryphäen der deutschen Litteratur bei ihm nicht besser wegkommen: sie alle sind einerseits begeisterte Verkünder, andererseits aber auch heftige Gegner[1]) des 'Dogmas'. Aber darüber mufs ich mich, als 'draufsen stehender' höchlich verwundern: dafs alle die deutschen Kritiker, die N. in seinem Reklameregister an den Pranger gestellt hat, ihm diese ekelhafte Begeiferung ihrer Nationallitteratur haben hingehen lassen.

Doch wo bleibt das 'Dogma'? Ei, das wurde im Jahre 1797 durch Fr. Schlegel zur Welt gebracht (S. 231); dafür wurde er aber auch der Verfasser der liederlichen Lucinde und — katholisch. Das ist nämlich die Nerrlichsche Theodicee: so jemand sich dem klassischen Altertum hingiebt, wird aus

---

1) Goethe hat nämlich *in Wolfs* homerischer *Kritik allzuviel des Subjektiven gefunden* (S. 288) — wie bekannt, deswegen, weil ihm Homer als ein vollendetes Werk galt. Und daraufhin wird er unter die Gegner des Dogmas aufgenommen!

ihm entweder ein Dieb, wie Bentley[1]), oder ein P—st, wie
Poggio, oder ein Katholik. Dennoch aber war es F. A. Wolf,
der durch kritiklose Annahme des Dogmas (das erst vierzig
Jahre nach ihm zur Welt kam) *die segenbringende Saat der
Philanthropen bis auf diese Stunde zurückgehalten hat*, ja der
noch viel ältere Lessing war bereits *in die Fesseln des Dogmas geschlagen* und deshalb *nur zu oft aller echten Kritik
bar* (S. 236). Lessing aller Kritik bar? Allerdings; *ist es
Kritik*, fragt Hr. N., *wenn L. sagt:* 'es ist die gröſste Ungerechtigkeit, die man gegen einen alten Schriftsteller ausüben
kann, wenn man ihn nach den jetzigen feineren Sitten beurteilen
will'[2])? Ja, Herr Nerrlich, das ist Kritik; aber freilich —
diese Art Kritik setzt Geschichtskenntnis voraus und ist daher
für Ignoranten sehr unbequem. — Ihm folgten die Philosophen:
Hegel, Fichte, Herbart; alle huldigen sie dem Dogma. *Das
ist*, bemerkt Hr. N. streng, *natürlich so wenig zu rechtfertigen,
wie wir dies bei unseren Dichtern versuchten* (beiläufig: Hr. N.
soll Lehrer des Deutschen sein?) Ist es nun wunderbar,
daſs solche elende Philologen, wie Wolf und Ast, *sich auf
die Schultern der Riesen stellten und von da aus die Früchte,
welche am Baume der Pädagogik gereift waren, verdarben und
vernichteten?* (S. 255). Welch prächtiges Bild! Hr. N. sollte
uns doch seine 'vierzig Lieder' nicht vorenthalten.

Doch ist es unmöglich, dieses Meer von Unsinn aus-
zuschöpfen; werfen wir noch kurz einen Blick auf die *Selbst-
zersetzung des Dogmas*. Der Titel — offenbar Hartmann
entlehnt — klingt verlockend; wäre nur Hr. N. nicht von
so bodenloser Unwissenheit auf dem Gebiete der Philo-

---

1) Das war er nämlich: siehe N. S. 150. Auſserdem aber taugte
er auch als Philologe nicht viel: *ihm fehlte die Erkenntnis, daſs die
allererste Vorbedingung zuverlässiger Textkritik der Respekt vor den
Handschriften ist* (S. 152). Hr. N. merkt nicht, daſs er in seinem
Eifer das Dogma rettet: war B. als schlechter Philologe ein schlechter
Mensch, so läſst sich's annehmen, daſs er als besserer Philologe ein
besserer Mensch geworden wäre und dann hoffentlich nicht ge-
stohlen hätte.

2) S. 128 heiſst es dagegen: *daran, daſs damals* (16.—17. Jh.)
*die Censur auf das strengste gehandhabt wurde, kann nur ein un-
historischer Sinn Anstoſs nehmen.* Da blies eben der Wind von der
anderen Seite.

logie[1]) — was für ein herrliches Material könnte er, dank
der bei so vielen Philologen beliebten Prügelknabenmethode[2]),
zusammenbringen! So aber kennt er nur zwei Beispiele,
Mommsen, der ihn indessen nicht ganz befriedigt (S. 350),
und Schvarcz. — *Was Mommsen für Rom, ist Schvarcz zu-*
nächst für Athen, damit aber für Griechenland überhaupt. Auch
sein Werk gehört zu den monumentalen unseres Jahrhunderts …
in beiden sind in gewissem Sinne die Kirchenväter wieder-
erstanden[3]) … Was für ein Kirchenvater mag doch —
denn an eine Kollektivmetempsychose wird N. kaum glauben
wollen — in Herrn Schvarcz gefahren sein? Ich meiner-
seits habe den wackeren T a t i a n in Verdacht. — Über das
grunzende Behagen, mit dem N. weiterhin die Schvarcz-
schen Lügen über Thukydides und Sophokles wiedergiebt,
gehe ich hinweg; ist es doch auch so unschwer zu erraten,
worin allein die zwei grundverschiedenen Seelen, Nerrlich
und Schvarcz, sich verstanden haben können.

Der wiedergeborene Kirchenvater hat sich übrigens für
den groben Kitzel der N.schen Lobhudeleien nicht un-
empfänglich erwiesen: neuerdings hat sich in seinen ʿneun
Briefen an Professor Nerrlichʾ eine neue Sturzflut von Thor-

---

1) Er hütet sich begreiflicherweise, davon zu reden; wo er es
doch thut, hören wir vom Asianer Cicero, vom Juristen Vellejus
Paterculus u. a.

2) Ich werde mich hüten Namen zu nennen; nur auf W e l z -
h o f e r will ich Hn. Nerrlich aufmerksam machen. Das ist ein Geist,
den er allenfalls begreifen könnte; seine Untersuchungen über die
Perserkriege dürfen den besten Leistungen von Perrault und Schvarcz
an die Seite gestellt werden.

3) Das ist zugleich ein Pröbchen von dem marktschreierischen
Ton, in dem des Verf. Lobeserhebungen gehalten sind — er mag
Grund haben zu befürchten, daſs sein Publikum sonst in seine Bude
nicht hereinspaziert. Bei der Gelegenheit sei aber auch auf einen
überraschend feinen Zug hingewiesen. Die Anheulungen Mommsens
sind, so sehr sie ihr Opfer empört haben müssen, ex causa begreiflich.
Aber woher die kriechende Unterwürfigkeit E. Zeller gegenüber, einem
der besten und verdientesten Streiter für das ʿDogmaʾ? Und woher
vor allen Dingen das vollständige Schweigen über den Mann, dessen
Namen immer in engster Verbindung mit der Hochrenaissance des
19. Jh. bleiben wird, — über E. Curtius? Irre ich mich, oder hat es
der Berliner Gymnasialprofessor P. Nerrlich für unklug gehalten, ihm —
wie hieſs es doch gleich? — *amtlich nahegebrachte* Männer zu
verletzen?

heiten über uns ergossen, welche die philologische Kritik
(*d'un air de bon chien battu*, würde Zola sagen) als *höchst
anregend* ad notam genommen hat. Ist sie es doch, Gott
sei's geklagt, nicht besser gewohnt.

Doch mag nur Hr. N. einstweilen über seine neun
Silberlinge frohlocken; das Urteil über ihn steht bereits fest
und wird ihn früher oder später treffen — und wenn er
sich noch so sehr die Mühe giebt, ihm durch Verleugnung
aller und jeder Bescheidenheit zu entgehen.

(S. 31 ob.) Brunis' (oder Niccolis') Palinodie: *Ego
profecto, inquit Nicolaus, ea de causa dico, quod nonnullos jam
audivi, qui in his rebus Petrarcam criminarentur. Nolite enim
putare meas criminationes istas, sed cum ab aliis quibusdam audi-
vissem, ad vos heri, qua tandem de causa scitis, retuli. Itaque
placet nunc mihi non me, qui simulate loquebar, sed insulsissi-
mos homines, qui re vera id putabant, refellere. Nam quod ajunt
unum Virgilii carmen atque unam Ciceronis epistolam omnibus
operibus Petrarcae se anteponere, ego saepe ita converto, ut dicam
me orationem* (der Sinn verlangt epistolam) *Petrarcae omnibus Virgilii epistolis et carmina ejusdem vatis
omnibus Ciceronis carminibus*[1]) *longissime anteferre*
(Klette, *Beiträge z. Gesch. u. Litt. d. ital. Gelehrtenrenaissance*
II 81). Die im Texte vorgetragene Auffassung ist von mir;
doch hatte ich die Genugthuung, meinen verehrten Kollegen
A. Weselowski von ihrer Richtigkeit zu überzeugen.
Voigt (I 383 f.) konnte die Stelle noch nicht aus eigener
Anschauung kennen, Gaspary (*Gesch. d. ital. Litter.* II 179;
661) ebensowenig — es ist somit Zufall, dafs der erste
in seiner Gesamtauffassung des Dialogs das richtige traf
und der zweite es verfehlte. Korelin aber, der II 613 ff.
eine ausführliche Analyse auch des zweiten (erst 1889 vollständig bekannt gewordenen) Teiles giebt, würde gewifs
nicht versucht haben, die Palinodie Niccolis als ernst gemeint
zu erweisen, wenn er den in der hervorgehobenen Stelle
liegenden Scherz erkannt hätte.[2]) Dafs im Dialog auch

---

1) So Klette; Wottke druckt unsinnig *orationibus*. Zur Textkritik merken beide nichts an.

2) Ein ähnliches vernichtendes Lob der Eklogen Petrarcas ibid:
nam omnia et pastoribus et pecudibus referta video.

einige aufrichtig wohlwollende Äufserungen vorhanden sind,
soll nicht geleugnet werden, ist aber auch für niemand irre-
führend, der das peripatetische *in utramque partem disputare,*
das Bruni von Cicero gelernt hat, aus dem Original selber
kennt (s. Hirzel, *d. Dialog* I 276[3]).

(S. 31 u.) Niccoli „nach der Rolle, die er bei Bruni
spielt": vgl. des letzteren Worte in der Einleitung: *ut morem
utriusque diligentissime servaremus.* Im Laufe des Gespräches
nun erhebt er C. bis in den Himmel; s. bes. S. 50 Kl. —
Salutati bei Villani *de origine civitatis Florentiae* II:
*in textu insuper prosaico tanta jam valuit dignitate, ut Ciceronis
simia merito dici possit;* s. Korelin II 816. Über seine Verdienste C. gegenüber s. Voigt I 319 f. — Traversari und C.:
Voigt I 319 f. — Vergerio gegen Malatesta: Voigt I 573 f.
— Poggio C.s Schüler: *ep.* XII 32 *Quidquid in me est, hoc
totum acceptum refero Ciceroni* (Voigt II 416). Sein Wort
über C. und die Dogmatik hat Milton wiederholt: *the loss
of Ciceros works alone or those of Livy could not be repaired
by all the fathers of the Church* (*Areopagitica;* vgl. Taine,
hist. de la litt. angl. II 456). — Vallas Lästerung: Voigt
I 463 f. — Dabei ist zu betonen, dafs der eigentliche
Ciceronianismus, gegen den Erasmus schrieb, erst ein halbes
Jahrhundert später aufkam; auf ihn gehen wir nicht ein, da
uns, unserem Programm gemäfs, die Renaissance nur *in statu
nascendi* interessiert.

(S. 32 u.) *Die Beredsamkeit der Fluch Deutschlands* nach
Nerrlich a. O. S. 134, und zwar *bis auf diese Stunde;* man
mufs solche Blüten des Unsinns herausheben, um sie recht
zu würdigen — in der Masse verlieren sie sich. Der Vater
auch dieses Gedankens war natürlich das *au contraire:*
Melanchthon hatte in schönen und denkwürdigen Worten
(wer auf Schönheit der Rede verzichtet, der schädigt den Inhalt)
die Beredsamkeit gepriesen. — „Von anderer Seite": Fr. Paulsen, *Gesch. d. gel. Unt.*[1] 24 *Ja sie* [die Scholaren] *hätten
hinzufügen mögen: die armselige Sprache des Cicero hätten
sie mit gutem Bedacht aufgegeben, als welche für ihre feinen
Untersuchungen über die Beziehungen von Begriffen zueinander
schlechterdings nicht zureiche; um die Sachen herumzureden möge*

sie mit ihrem 'quasi quidam' taugen, aber sie scharf und präzise zu fassen sei sie ganz und gar ungeschickt. Darauf hätte Cicero, soweit ich ihn kenne, geantwortet: Thesen wie die, inwiefern die Jungfrau Maria ihre eigene Grofsmutter sei, liefsen sich in seiner Sprache allerdings nicht ausfechten; die Schranke, die sein Stil dem Denken setze, falle aber mit derjenigen zusammen, die auch der gesunde Menschenverstand anerkenne.

(S. 33) Petrarca über seinen Stil: Voigt I 34. Petrarca gegen die Medizin: *contra medicum invect.* I (p. 1089 Basil.): *quid te autem non ausurum rear, qui rhetoricam medicinae subjicias, sacrilegio inaudito, ancillae dominam, mechanicae liberalem?*

(S. 34 ob.) „das unersetzliche an C.", das Recht der Wahl. Eine urkundliche Bestätigung giebt uns Niccolis Rede in dem oft citierten Dialoge Brunis *de tribus vatibus,* bes. S. 49 Klette: *Fuit philosophia olim ex Graecia in Italiam a Cicerone traducta atque aureo illo eloquentiae flumine irrigata. Erat in ejus libris cum omnis philosophiae exposita ratio, tum singulae philosophorum scholae diligenter explicatae, quae res, ut mihi quidem videtur, plurimum valebat ad studia hominum incendenda. Ut enim quisque ad philosophiam accedebat, continuo sibi quos sequeretur proponebat, discebatque non solum sua tueri, sed etiam aliena refellere.* Die Stelle ist noch in anderer Hinsicht interessant: sie beweist, dafs die Renaissance sich über die Originalität der ciceronianischen Philosophie durchaus keine Illusionen machte.

(S. 34 M.) Worte Voltaires: *Dialogues philosophiques* XIII. Dasselbe meint er *le philosophe ignorant* XLIX: *nous sommes revenus au goût de la saine antiquité après avoir été plongés dans la barbarie de nos écoles.*

(S. 34 u.) Petrarca folgt in seinen Briefen Seneca: das hat Körting *Petrarcas Leben* S. 16 ff. sehr gut auseinandergesetzt. Seine Vorbehalte verlieren ihre Bedeutung, wenn man, wie billig, Stil im allgemeinen und Brieform im besonderen scheidet. — Der persönliche Brief als Kunstbrief war vor den Humanisten unbekannt: die einzige Ausnahme,

Lupus von Ferrières, bestätigt die Regel — er war zugleich fast der einzige, der C.s Briefe kannte und las (Ebert II 205[2]).

(S. 35 ob.) . . . *familiariter* zu schreiben. S. Voigt II 425.

Zu § 6.

(S. 36) Luther und Cicero. Siehe vor allen Dingen *Tischreden* 2873. 2890. In der Gegenüberstellung von Ciceros 'Sorgen im Regiment' und Aristoteles Mufse scheint er C. selbst zu folgen, *or.* 108 *nemo enim orator tam multa ne in Graeco quidem otio scripsit, quam multa sunt nostra.* Das 'sehr gute Argument' ist dasselbe, das auch Lactanz und nach ihm manchen anderen entzückt hat; s. S. 73. Über C.s Originalität dachte er ebenso, wie die Renaissance (s. oben S. 90), wie folgende Worte von ihm beweisen: *ich glaube, dafs er hat zusammengelesen und bracht was er Guts funden hat bei allen griechischen Scribenten und Lehrern in ihren Büchern* (a. O. 2890).

(S. 37 u.) Zu dem im Texte περὶ τῆς Δρουμάννου κακοη-θείας gesagten hat Aly in der *Zft. f. d. Gymnw.* 1896 die urkundlichen Belege geliefert; als ein Pröbchen kann auch das oben S. 65 mitgeteilte gelten. Unentbehrlich ist das Werk freilich bis auf den heutigen Tag, aber man soll wissen, was man an ihm hat — eine muffige Rumpelkammer, aus der man sich mit verhaltenem Atem seinen Bedarf holt.

In diesem Zusammenhang darf an den beredten Protest erinnert werden, den seinerzeit Ritschl (*opusc.* III 697 ff.) im Anschlufs an eine schöne Stelle aus Bunsens Werk über Ägypten gegen die Verunglimpfung C.s erschallen liefs. In neuester Zeit zeugen die Namen R. Hirzels, E. Rohdes, U. v. Wilamowitz, O. E. Schmidts und vieler anderer dafür, dafs der Irrtum der Augen Band loszulassen beginnt. Das sind die Kenner, denen Mommsens Schrift in diesem einen Punkte nicht gefallen hat; dafs sie eben in diesem Punkt Nerrlichs Lob — und was für eins! — erhält, giebt der Sache den Ausschlag.

(S. 38) „Beide, die Reformation wie die Gegenreformation, wiesen C. einen Ehrenplatz in der Schule an." Für die Reformation ist K. Hartfelder *Melanchthon als praeceptor Germaniae (Mon. Germ. paed. VII)* zu vergleichen, bes. 380 ff. Daraus geht hervor, daſs Cicero für Melanchthon beides war, sowohl *linguae Latinae parens*, wie auch der Erzieher zur Sittlichkeit *(ad fingendos mores prodest);* in letzterer Hinsicht rühmt er an ihm die *mira civilitas, qua amicos tractat*, wie auch seine sittliche Tüchtigkeit, die er in allen Lebenslagen bewährt hat. Zuvorderst stand bei ihm das Werk *de officiis; diese Schrift* — ich muſs mir erlauben, des verdienten Bearbeiters eigene Worte zu citieren — *welche nach den kritischen Untersuchungen unseres Jahrhunderts ein ziemlich abhängiges Plagiat griechischer Arbeiten ist, erscheint ihm als vollendet; denn C. habe darin auf das sorgfältigste die Vorschriften niedergelegt, was sich in allen Lagen des Lebens und für jedes Alter zieme.* Sollte sich Melanchthon wirklich über den Sachverhalt, der Luther völlig klar gewesen ist, Illusionen gemacht haben? und das in einem Punkt, in dem C. ganz offen, ohne die Folter *kritischer Untersuchungen* abzuwarten, die Wahrheit bekannt hat (I 1)? Und ist unter diesen Umständen das Wort *Plagiat* nicht, gelinde gesagt, unzutreffend? Aber freilich — das ist die Kritik 'unsres Jahrhunderts'.

Für die Tendenzen der Gegenreformation bietet Pachtlers *ratio studiorum et instit. schol. Societatis Jesu*, 4 Bde. (*Mon. Germ. paed.* II. VI. IX. XVI) ausreichendes Material; uns genügt das eine Zeugnis aus dem Memoriale des Th. Busaeus v. J. 1609 (III 191): *cum tantopere desideret R. P. N. et tota Societas, ut qui studia tractant sive docendo sive discendo, sicut in Theologia S. Thomam, in Philosophia Aristotelem, ita in humanioribus litteris sequantur et imitentur Ciceronem* . . . Im Hinblick auf das sofort zu berichtende will ich ausdrücklich bemerken, daſs auch die Schriften *de natura deorum* und *de divinatione* nicht ausgeschlossen waren: beide finden sich unter den empfohlenen *libri caniculares* (IV 3, 6) und wurden sogar im *ordinarium* kommentiert (IV 13).

Zu § 7.

(S. 38 u.) Nicht aufser Acht zu lassen ist übrigens der Einflufs C.s schon auf die englische Aufklärung des 17. und 18. Jahrhunderts, zumal den Deismus; da diese Kulturperiode dem Plane der Arbeit gemäfs nicht besprochen werden konnte, will ich wenigstens hier in den Anmerkungen die Lücke ausdrücklich konstatieren. Von der Art, wie sie auszufüllen wäre, kann das S. 94 über Shaftesbury bemerkte eine Vorstellung geben.

(S. 39 ff.) Voltaire über C.: ʻnie etwas schlechtes gesagt': die Äufserung Pococurantes im *Candide* ist keine Gegeninstanz; erstens ist sie ziemlich harmlos und zweitens darf diese Figur mit nichten als ein Porträt Voltaires, dieses grofsen Moltocurante, angesehen werden. — Der Artikel gegen Linguet steht im *Dictionnaire philosophique* s. v. *Cicéron*. Er rief seinerseits eine Antwort des bekannten Abbate Galiani hervor (ich kenne sie aus Ritschl *opusc.* III 703 ff.), die an kaustischer Schärfe nichts zu wünschen übrig liefs und eben deshalb für C. sehr ehrenvoll ist — dem Schüler des Thrasymachos und Kallikles konnte der römische Idealist nur antipathisch sein. Vollends unverfänglich ist Castilhon's für C.s ʻStrohfeuer' ungünstige Parallele zwischen diesem und Plutarch, — eine dialektische Spielerei à la Valla, welche Diderot (*oeuvres* IV 76) fein verspottet. Als Beiträge zu einer Geschichte der Karikatur C.s sind natürlich auch diese vereinzelten französisch-italienischen Stimmen von Bedeutung; aber eben weil sie vereinzelt sind, stofsen sie das S. 37 gesagte nicht um. — Von den ʻBriefen des Memmius' kommen III, XIX und III, XXI in Betracht. — Die römische Gesandtschaft: *Remarques de l'esprit sur les moeurs* IV. — Nachzutragen ist übrigens ein Lobspruch, der einzig dastehen dürfte: *il nous reste de très beaux vers de Cicéron* (*Essai sur la poésie épique* III); allerdings ist es der Dichter der Henriade, den wir hier reden hören.

(S. 40) Friedrich d. Gr. und C.: Die meisten Stellen giebt Zeller, *Fr. d. Gr. als Philosoph* 214; die Kabinetsordre teilt Paulsen, *Gesch. d. gel. Unterr.* 459 mit. ʻRemusberg'

— so heißt in Friedrichs Korrespondenz mit Voltaire das Schloß Rheinsberg regelmäßig; da der Name weiterhin (S. 56) in dieser Form zu einem Wortspiel benutzt wird, mußte ich sie beibehalten.

(S. 43 ob.) „Dem Anhänger der natürlichen Religion war der Verfechter der natürlichen Moral ein willkommener Waffenbruder." Als Illustration kann Shaftesburys *Inquiry concerning virtue and merit* dienen. Von Ciceros Definition des *honestum* wird ausgegangen, und im weiteren Verlauf der Untersuchung der Beweis geliefert, daß sie sich mit der natürlichen Religion am besten verträgt.

(S. 43) Über Voltaires Stellung zur Reformation s. z. B. Strauß, *Voltaire* 277 ff.

(S. 43 u.) Diderot: in den *Pensées philosophiques* XLVII (*oeuvres* I 147 f.); er meint Cic. *de div.* II 80. Besonders gefiel ihm der spöttische Einwand § 81 *quasi vero quicquam sit tam valde, quam nihil sapere, volgare;* er verstand sich eben darauf und hatte Augen zum sehen. *Voilà,* fährt er fort, *la réponse du philosophe. Qu' on me cite un seul prodige auquel elle ne soit pas applicable! Les Pères de l'Église, qui voyaient sans doute de grands inconvénients à se servir des principes de Cicéron, ont mieux aimé convenir de l'aventure de Tarquin et attribuer l'art de Navius au diable. C'est une belle machine que le diable.*

(S. 45 ob.) Montesquieu über C.: *un des plus grands esprits qui aient jamais été; l'âme toujours belle lorsqu'elle n' était pas faible (Pensées diverses).* Letztere Einschränkung resumiert die Charakteristik in dem Werke *Grandeur et décadence des Romains* 12.

(S. 45 f.) Mably über C.: 'fast auswendig': vgl. die den *oeuvres posthumes* beigegebene Biographie (I 71). Der Ausspruch *j'aime mieux m' égarer à sa suite, que de trouver la vérité avec d'autres philosophes* steht *oeuvres* XVII 106. — Die Citate aus der Schrift *de l'étude de la politique*: *oeuvres* I 129 f. — Das Werk *droits et devoirs du citoyen*: *oeuvres* XVII;

von der Constituante als Vorbild anerkannt *oeuvres posth.*
I 299. In der That werden die Namen Mably und Rousseau
von den Rednern der Revolutionszeit zusammen genannt;
die beiden waren nebst Mirabeau die einzigen Franzosen,
deren Büsten im Sitzungssaale der Jacobiner aufgestellt
wurden (am 18. Dez. 1791, s. Aulard, *la société des Jacobins*
III 291). Taine (*ancien régime* 301), ist der Bedeutung des
Mannes entschieden nicht gerecht geworden: mit den *enfants
perdus* der Aufklärung, wie Naigeon, Morelly u. a., darf
man Mably nicht zusammenwerfen. Richtiger haben ihn
W. Guerrier *L'abbé de Mably, moraliste et politique* 1886 und
N. Karejew *Geschichte Westeuropas in der Neuzeit: Entwickelung der kulturellen und socialen Verhältnisse* [russ.] III 235 ff.
gewürdigt. — Das Citat aus *de legibus* I 42 (bei Mably XVII
105 ff.); prophetische Schilderung der ersten Stadien der
Revolution XVII 207. — Erwähnenswert ist auch die bei-
fällige Beurteilung von C.s Verhalten während Cäsars Alleinherrschaft in der Schrift *de la situation de la Pologne en 1776*
(*oeuvres* I 50).

Zu § 8.

Die Reden der Revolutionszeit citiere ich nur nach
dem Datum, weil sie sich darnach am leichtesten auffinden
lassen — vorab in der allumfassenden Sammlung von Buchez
u. Roux *Hist. parlem. de la révol. franç.* (40 Bd.), die meisten
auch in der handlicheren *Tribune française* von A. Amic
und Ét. Mouttet (2 Bde.), oder auch in den gesammelten
Reden der einzelnen Redner. — Beim Lesen der folgenden
Zeilen vergesse man nicht, dafs Cicero erst die eine Quelle
der Redner der Revolutionszeit ist; die zweite ist eine damals sehr bekannte Sammlung der Reden des Livius *(Con-
ciones)*, franz. übersetzt von Rousseau. Damit meine Schilderung der Abhängigkeit der Revolutionsredner von C. nicht
wunderlich dünke, will ich von vornherein auf das treffende
Porträt verweisen, das Jos. Reinach von ihnen macht
(*l'éloquence française* XI): *la tribune étant le champ de bataille
de l'orateur politique, il semble que ce soit là qu'il faut l'étudier:
n'y cherchez pas l'orateur de la Révolution. Vous ne le trouverez au travail que dans son cabinet, devant sa table, entre quel-
ques volumes des classiques latins et le Contrat social.*

(S. 49 f.) Rousseau und C. Die Citate aus dem *Emile* stehen I Kap. 4. Charakteristisch für seine Unbekanntschaft mit C. ist das Urteil über die Schrift *de legibus*, von der er meint, es sei die rhetorisch aufgeputzte Bearbeitung irgend einer griechischen Schrift gewesen. Hieraus ersieht man, 1) dafs er sie verloren glaubte, und 2) dafs er diesen durchaus auf römischem Boden stehenden und allerselbständigsten Traktat C.s für die Umarbeitung eines griechischen Originals hielt. Und das bezieht sich auf *de legibus*, eine Schrift, die bei Montesquieu eine so wichtige und bei Mably geradezu einzige Rolle spielt. — Stutzig machen könnte die gelehrt aussehende Notiz im *Contrat social* IV Kap. 4 über Ciceros Stellung den *leges tabellariae* gegenüber; aber es unterliegt keinem Zweifel, dafs R. das Citat aus Montesquieu geschöpft hat, bei dem es *esprit des lois* II Kap. 2 zu lesen ist. — Ich will übrigens ausdrücklich hervorgehoben haben, dafs das hier und im Texte gesagte durchaus nicht mein Gesamturteil über R. enthält.

(S. 50 u.) Mably und das Prinzip der Propaganda: *oeuvres* XVII 57; 117. Charakteristisch ist die unbewufste Berührung mit Lactanz (s. oben S. 78), sowie der ebenso unbewufste Gegensatz zur Renaissance (s. oben S. 83); hier haben wir ein drastisches Beispiel für den eingangs ausgesprochenen Gedanken, dafs sich die Eigenart der Jahrhunderte nicht zum wenigsten an ihrem Verhältnis zu C. lernen läfst.

(S. 51) Girondisten u. s. w. Für die folgende Darstellung waren im allgemeinen aufser den Parlamentsreden noch die Debatten des Jakobinerklubs meine Quellen (herausg. von Aulard, *la soc. d. Jac.* I—IV). Im einzelnen: über die Guillotine als römische Erfindung s. Goncourt, *la société franç. pendant la Rév.* 431; das über Condorcet gesagte bezieht sich auf sein *Tableau des progrès de l'esprit humain;* über Dantons Bibliothek s. Goncourt, *la soc. franç. sous le Direct.* 6; das Citat aus Camille Desmoulins steht in seinem *Discours de la lanterne.*

(S. 54) Konventsitzung vom 29. Okt. 1792: gut
dargestellt in der *Tribune française* II 25 ff. Es ist dringend
zu wünschen, daſs jeder Lehrer, der seinen Schülern die
erste Catilinaria erklärt, diese Darstellung lese; sie wird ihn
eher in den Stand setzen, Ciceros gewaltiger Leistung gerecht
zu werden, als zehn Schulkommentare neuesten Datums.
Für die Verrinen kann, um das beiläufig zu bemerken, der
fast gleichzeitige Prozeſs des Warren Hastings (13. Febr.
1788) und seine klassische Beschreibung bei Macaulay (der
die Parallele selber gezogen hat, *Essays*) die gleichen Dienste
leisten.

(S. 55 u.) Die Vierzeile über Robespierre teilt Goncourt, *la soc. fr. pendant la Rév.* 403 mit.

(S. 56 M.) Wer sich aus einem Abgrunde der Borniert-
heit mit einem Mal zur lichten Höhe weltkundigen Wissens
gehoben fühlen will, dem ist zu empfehlen, nach der soeben
citierten Auslassung Nerrlichs folgende Stelle aus Taines
Hist. de la litt. angl. (V 173) zu lesen —— zugleich eine kleine
Entschädigung für die unterbliebene Fortführung der Geschichte Ciceros bis in die Gegenwart: *Lorsque les grands
orateurs consentent à écrire, ils sont les plus puissants des écri-
vains; ils rendent la philosophie populaire ; ils font monter tous
les esprits d'un étage et semblent agrandir l'intelligence du genre
humain. Entre les mains de Cicéron les dogmes des stoiciens
et la dialectique des académiciens perdent leurs épines. Les sub-
tils raisonnements des Grecs deviennent unis et aisés; les difficiles
problèmes de la providence, de l'immortalité, du souverain bien
entrent dans le domaine public. Les Sénateurs, hommes d'affaires,
les jurisconsultes, amateurs des formules et de la procédure, les
massives et étroites intelligences des publicains comprennent les
déductions de Chrysippe: et le livre des Devoirs a rendu
vulgaire la morale de Panaetius.*

Zu § 9.

Nirgends habe ich so sehr den Mangel an brauchbaren
Vorarbeiten empfunden, als bei der Abfassung der folgenden Skizze. Was hier Not thut, ist nicht mehr noch minder

als eine europäische Rechtsgeschichte im Zusammenhange
mit der Entwickelung der europäischen Kultur; und von
einer solchen sind wir, dank der Scheidung der Fakul-
täten, noch sehr weit entfernt. Es ist ein bedeutsames
Zeugnis für die Lebenskraft der Antike, daſs das Bedürfnis
nach ihr zuerst auf dem Boden des römischen Rechts
empfunden wurde; Ihering hat in seinem Fragment einer
Entwickelungsgeschichte des römischen Rechts ihr Programm entwickelt; wer wird sein Nachfolger sein? Und bis zur Neuzeit ist es noch ein weiter Weg. Was soll man dazu sagen,
daſs selbst in Taines klassischem Werk der Rechtspflege
mit keinem Worte gedacht ist? Michelet behandelt wenigstens den Fall Latude, freilich durchaus mehr sensationell
als kulturhistorisch oder gar rechtshistorisch; die anderen
bieten vollends nichts. Dafür revanchieren sich die Juristen,
indem sie ihrerseits die Entwickelung der Gesamtkultur
ignorieren; eine rühmliche Ausnahme bildet m. W. nur
Vargha, in dessen *Verteidigung in Strafsachen* sich wenigstens das Streben nach einer kulturhistorischen Behandlung
manifestiert; im Zusammenhange damit steht es, daſs er die
1791 ins Werk gesetzte Reform des Strafverfahrens unbedingt
richtig S. 625 *die Renaissance des accusatorischen Processes* nennt.
Eben diesen Gedanken habe ich nach quellenmäſsigen Mate-
rialien, so gut ich es konnte, in der folgenden Skizze auszuführen gesucht; möge sie in ihrer Dürftigkeit wenigstens auf
die Lücke, die es hier auszufüllen giebt, aufmerksam machen!

(S. 57 ob.) Entdeckung C. des Redners durch die
Redner der Revolution. Sie bleibt eine Thatsache, trotz
der Reserven, die man machen muſs; diese betreffen, ab-
gesehen von den beiden im Texte bezeichneten Punkten,
besonders noch die Beredsamkeit der Renaissance,
deren hervorragendstes Beispiel auf italienischem Boden
der vielfach genannte Bruni, auf deutschem aber Ulrich
von Hutten ist. Des ersteren *oratio pro se ad praesides*
ist noch unediert; Korelin (a. O. 659 f.), der sie im Manu-
skript gelesen hat, betrachtet sie als *einen der seltenen Ver-
suche die humanistische Beredsamkeit in den Prozeſs einzuführen*;
aus den mitgeteilten Proben geht hervor, daſs diese Rede
unter dem Einflusse der kurz vorher gefundenen Rosciana

steht. Mehr ist über Hutten zu sagen, dessen Türkenrede
ein Nachklang der Pompejana ist (cf. bes. § 12), während
seine fünf Invektiven gegen Ulrich von Württemberg sich
sehr eng an die Verrinen anschliefsen. Wie weit die Abhängigkeit geht, mag folgendes Pröbchen darlegen: *sic fiet
ut in laudatissima Germaniae parte Germaniam quaeramus* (V 47
ed. Böcking) ∽ *ut in uberrima Siciliae parte Siciliam quaere-
remus* (Cic. *Verr.* III 47); ähnliches auf Schritt und Tritt.
Unter diesen Umständen genügt es nicht zu sagen, dafs
Hutten *die Catilinarien und Verrinen und Philippiken gründlich
studiert hatte* (D. Straufs, *Ulrich von Hutten* I 121); gerade
die von Straufs am meisten gerühmte Stelle der ersten
Rede, *wo der Redner den Schatten des Ermordeten selbst sprechen
läfst* (a. O. 128), stammt aus Cic. *Verr.* V 112. — Nun,
von den Invektiven steht es fest, dafs sie nicht gesprochen
worden sind; von Brunis Rede nimmt Korelin wohl mit
Recht das gleiche an (auf die unerquickliche Prunkbered-
samkeit, so sehr sie von C.s Pompejana beeinflufst sein mag,
habe ich keine Veranlassung einzugehen, da hier nur von
der praktischen Beredsamkeit gehandelt wird); es ist somit
auch mit dieser Reserve der Sache kein Abbruch gethan.

(S. 57 ob.) Cicero der Redner in Deutschland noch
unentdeckt. Wer sich von der Wahrheit dieser Behauptung überzeugen will, dem ist die Vergleichung eines besseren englischen Kommentars zu einer Gerichtsrede C.s
(etwa der Faussetsche zur Cluentiana) mit dem allerbesten
deutschen zu empfehlen, oder auch der Einblick in die
neueste Didaktik des lateinischen Unterrichts. Daraus folgt
freilich noch nicht, dafs Fausset genüge. C.s Gerichtsreden
sind litterarische Kunstwerke, rhetorisch der Form, juridisch
dem Inhalt, philosophisch dem Geiste nach; damit ist gesagt, um welchen Preis ihr Verständnis zu haben ist —
wer weniger bietet, kriegts nicht. Und nun gehe einer hin,
studiere den Gebrauch von *enimvero* oder treibe von Realien-
kenntnis unabhängige Textkritik.

(S. 57 u. 58 ob.) Die beiden Citate stammen: das erste
aus Horaz *sat.* I 4 121 ff., das zweite aus Michelet, *hist.
de la Rév.* I 282. Zum folgenden vgl. etwa Vargha entspr. O.

(S. 58 f.)   Die Cicerocitate sind aus: *Clu.* 7; *Sest.* 4;
Font. 21; *Rosc. Am.* 10; *Clu.* 6; *Verr. Act. pr.* 47.

(S. 59 u.) Reformverhandlungen in der Constituante. Wenn man sieht, mit welchem Eifer Hérault-
Séchelles nach den Gesetzen des Minos fragt, *dont il a un
besoin urgent* (allerdings erst im Konvent; s. Taine, *Rév.*
III 8), so kann man sich leicht denken, wie dankbar die
Initiatoren der Prozeſsreform für eine systematische Darstellung der römischen Gerichtsverfassung gewesen wären,
etwa wie sie viel später Zumpt geliefert hat. Leider gab
es keine, während die englische Gerichtsverfassung in allen
Einzelheiten bekannt war; darum ist bei den Verhandlungen
von der ersten nur im allgemeinen die Rede (so in den
Ausführungen Duports vom 30. April 1790, s. Buchez u.
Roux V 282), während die zweite in den Einzelfragen
dominiert.

(S. 60) Über den Fall Calas s. Straufs, *Voltaire* 210.
— Von den citierten Äuſserungen Voltaires steht die erste
im *Commentaire sur le livre des délits et des peines* XXIII, die
zweite im *précis du procès de M. le comte de Morangiés*, die
dritte im *fragment sur le procès criminel de Montbailli.*

(S. 61 f.) Es sei erlaubt, den nie auszudenkenden Gedanken der Schluſsworte durch eine kleine Entwickelungs-
reihe eines und desselben Motivs zu illustrieren.

Den Standpunkt des intoleranten Heidentums vertritt
Kaiser Julian mit den bekannten Worten seines Edikts:
ἄτοπον οἶμαι τοὺς ἐξηγουμένους τὰ τούτων (τῶν παλαιῶν
συγγραφέων) ἀτιμάζειν τοὺς ὑπ᾽ αὐτῶν τιμηθέντας θεούς (*ep.*
42, 423 a).

In völliger Übereinstimmung damit vertritt Gregor der
Groſse den Standpunkt des intoleranten Christentums: ein
christlicher Bischof soll nicht heidnische Dichter erklären,
quia in uno se ore cum Jovis laudibus Christi laudes non capiunt
(*ep.* XI 54; s. Ebert, I 525), und ein mittelalterlicher Kloster-
dichter variierte den Gedanken in den beiden caesurlosen,
sonst aber gar nicht üblen Versen (s. Comparetti, V. im
Mitt. 148):

sed stylus ethnicus atque poeticus abjiciendus:
dant sibi turpiter oscula Jupiter et schola Christi.

Und als hätte er den verschollenen Ordensbruder gekannt,
pries Lenau, der in die Welt des Geistes vorzugsweise
durch die Pforte der Tonkunst einzudringen pflegte, mit
ihrem genialsten Vertreter zugleich die ganze moderne,
durch den Neuhumanismus begründete Kultur, in der wir
noch leben und allen Finsterlingen zum Trotz noch lange
leben wollen:

> In der Symphonien Rauschen,
> Heiligen Gewittergüssen,
> Seh ich Zeus auf Wolken nahn und
> Christi blut'ge Stirne küssen,
> Hört mein Herz die grofse Liebe
> Alles in die Arme schliefsen,
> Mit der alten Welt die neue
> In die ewige zerfliefsen.

INDEX.

HANDBÜCHER U. NEUE ERSCHEINUNGEN
D. PHILOLOGIE U. ALTERTUMSWISSENSCHAFT
IM VERLAGE VON B. G. TEUBNER IN LEIPZIG.

Augustus u. s. Zeit v. V. Gardthausen. I. 1 n. *M.* 10.—
II. 1 n. *M.* 6.— I. 2 n. *M.* 12.— II. 2 n. *M.* 9.—
[I. 3 u. II. 3 (Schluß) in Vorbereitung.]

Demosthenes u. s. Zeit v. A. Schaefer. 2. Aufl. 3 Bde.
n. *M.* 30.—

Kaiserzeit. Die geschichtl. Litteratur d. röm. Kaiserzeit v.
H. Peter. 2 Bände. [U. d. Presse.]

Konkubinat, d. römische, nach den Rechtsquellen und den
Inschriften v. Meyer. n. *M.* 5.—

Legende. D. Legende d. heil. Margaretha v. K. Zwierzina.
2 Bände. [U. d. Presse.]

Litteratur. Geschichte der röm. Litteratur v. Teuffel-
Schwabe. 5. Aufl. n. *M.* 14.40.
Geschichte der griech. Litteratur der Alexandrinerzeit v.
Susemihl. 2 Bde. n. *M.* 30.—

Mithradates Eupator v. Reinach. Deutsch v. Goetz.
n. *M.* 12.—

Mythologie. Lexikon d. gr. u. röm. Mythol., herausg. v.
Roscher. I. Bd. [A–H] n. *M.* 34.— II. Bd.
[Lief. 18—33 je n. *M.* 2.—] im Erscheinen.

Petrusapokalypse. Nekyia, Beiträge z. Erklärung v.
A. Dieterich. n. *M.* 6.—

Plato. Platos Gesetze v. C. Ritter. Darstellung des Inhalts.
n. *M.* 3.20. — Kommentar n. *M.* 10.—

Porträtköpfe auf röm. Münzen v. Imhoof-Blumer.
2. Aufl. n. *M.* 3.20.
Auf hellen. u. hellenist. Münzen v. Imhoof-Blumer.
n. *M.* 10.—

Pulcinella i. Altertum. Pompej. Wandgemälde u. röm. Satyr-
spiele. Von A. Dieterich. M. Taf. u. Abb.
[U. d. Presse.]

Rechtsgeschichte. Reichsrecht u. Volksrecht i. d. östl.
Prov. d. röm. Kaiserreichs v. L.
Mitteis. n. *M.* 14.—

Rom. Das alte Rom. Entwickelung seines Grundrisses und
Geschichte seiner Bauten von A. Schneider. 12 Karten
u. 14 Tafeln nebst Einleitung u. Plan der heutigen Stadt.
geb. n. *M.* 16.—

Sicilien. Geschichte S.s v. Freeman. Deutsch v. B. Lupus.
I. u. II. Bd. je n. *M.* 20.— 🖝 Fortsetzung u.
d. Presse.

Sprache. Charakteristik d. latein. Sprache v. O. Weise.
n. *M.* 2.40.

Therapeuten. Die Th. u. d. Philon. Schrift v. beschau-
lichen Leben v. P. Wendland. n. *M.* 2.80.

Volksetymologie, lateinische, und Verwandtes v. O.
Keller. n. *M.* 10.—

SAMMLUNG WISSENSCHAFTL. COMMENTARE ZU GRIECH. UND RÖM. SCHRIFTSTELLERN.

VERLAG VON B. G. TEUBNER IN LEIPZIG.

Sophokles Elektra. Von G. Kaibel. geh. n. *M.* 6.—, in Leinw. geb. n. *M.* 7.—

Lucrez Buch III. Von R. Heinze. geh. n. *M.* 4.—, in Leinw. geb. n. *M.* 5.—

Demnächst sind in Aussicht genommen:

Aetna. Von S. Sudhaus und Fr. Vollmer.

Tibull. Von F. Leo.

Plautus Rudens. Von F. Marx.

Ovid Heroiden. Von R. Ehwald.

Minucius Felix Octavius. Von E. Norden.

Clemens Alex. Paidagogos. Von E. Schwartz.

Herodot V. VI. Von G. Kaibel.

Mit dem Plan, eine Sammlung wissenschaftlicher Commentare zu griechischen und römischen Litteraturwerken erscheinen zu lassen, hofft die Verlagsbuchhandlung einem wirklichen Bedürfnis zu begegnen. Zwar daß einzelne Schriftwerke in Bearbeitungen vorliegen, die wissenschaftlichen Ansprüchen in hervorragendem Maße gerecht werden, kann und soll damit am wenigsten geleugnet werden. Vielmehr ließen gerade diese Vorbilder den Wunsch nach einer regeren Bethätigung auf gleichem Gebiete entstehen, wie dessen Verwirklichung in diesem Unternehmen als möglich erscheinen. Auf der anderen Seite aber darf sich wohl von ihm, das zu einer umfassenderen und verständnisvolleren Beschäftigung mit den Hauptwerken der antiken Litteratur als den vornehmsten Äußerungen des klassischen Altertums auffordern und anleiten soll, einiger Nutzen für die Pflege der philologischen Wissenschaft überhaupt wie für den einzelnen Philologen versprechen lassen.

Des näheren giebt über das Wesen des Unternehmens ein ausführlicher Prospekt Auskunft, der unentgeltlich sowie portofrei von der Verlagsbuchhandlung und durch jede Buchhandlung zu beziehen ist.

Hier sei nur noch bemerkt, daß der Preis der einzeln käuflichen und geheftet sowie gleichmäßig gebunden auszugebenden Bände so niedrig als irgend angängig gestellt werden soll, um auch dem Einzelnen es zu ermöglichen, die Ausgaben der Sammlung zum dauernden Besitz zu erwerben, die in ihrer Beschränkung auf Wesentliches den Anspruch auf allgemeinere Bedeutung erheben zu können hofft.

Es wird von der Teilnahme, die das Unternehmen namentlich auch in dieser Hinsicht findet, abhängen, ob es möglich sein wird, auf dem eingeschlagenen Wege das angestrebte Ziel weiter zu verfolgen.